麻雀中学校

入学式当日

アカギ

諸事情により遅刻し

works by 三好智樹／瀬戸義明（フクモトプロダクション）

いや…
オレは……
フフ…
治
平山
ガラ…
じゃあな
ピシャ…

ざわ‥
ざわ‥
アカギ…?
君が赤木しげるなのか…?
ざわ‥
3年生の不良グループと乱闘して入学式を遅刻した…
赤木しげる……?
クク…

校長室

ざわ…

校長室

入れ

ざわ…

アカギ…
遂に立つ…！

究極の敵……
鷲巣の前に……！
ざわ‥

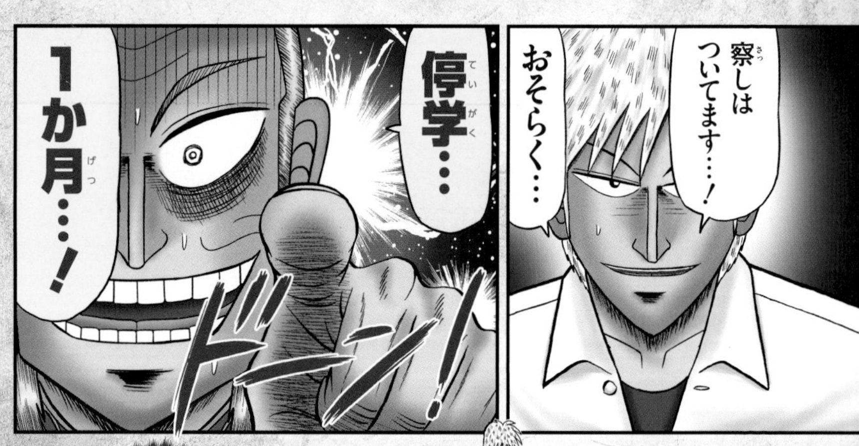
察しはついてます…！
おそらく…
停学…
1か月…！
ドーン！

前代未聞だよ君…
次は退学だからね…！
ククク…
まんざら……凌げなくもないっ…！

他の者は授業開始っ…！

アカギ
入門の闘牌
入学
平山
治
赤木しげる（13歳）

後の裏麻雀界に君臨する、伝説のギャンブラー"神域の男"!

赤木しげる

死ねば助かるのに…

ABILITY GAUGE

雀力	★★★★★
技術	★★★★★
運	★★★★☆
権力	★☆☆☆☆
カリスマ	★★★★★★

13歳で初めて麻雀を打ち、その時初心者でありながら、類稀なる勝負センスでヤクザ・竜崎とその代打ち・矢木に圧勝。続く盲目の雀士・市川との決戦は〝伝説の夜〟として語り草となる。その後断続的に消息を絶ちながらも、浦部戦や鷲巣戦の噂が洩れ聞こえるなか、裏麻雀界に君臨するが、天貴史に生涯初の敗戦を喫して、伝説の闇に消える。

しかし1990年、「裏プロ東西対決」ではその天と共に東の代表として鮮烈にカムバック。西の裏プロ・僧我との雌雄を決する死闘を制し、東を勝利へと導いた。

1990年に他界した後も、全国のギャンブラーたちから、伝説の勝負師〝神域の男〟として、今も語り継がれている——。

▲市川戦の前日、ヤクザで固められた喫茶店に呼び出されたアカギ。ヤクザの要求は「寝返れ」だったが、アカギは組織が崩壊する金額の半分をよこせば考えてもいいと返答。

奴は別格だ! あの男は… わしと同じ王なのだ!!

（鷲巣巌）

▲麻雀で勝った取り分200万円（現在で2000万円以上の価値）を渡されても、まったく興味なしの表情。アカギにとっては、金などどうでもいい。ただ、常人には触れることさえできないような、熱湯のような「生」が欲しいだけなのだ。

▼遂に吐露されたアカギのホンネ!? 鷲巣のような怪物と殺しあってこそ、ようやく生きている実感が沸いてきたという。

▲アカギは勝負を途中で諦めることなど絶対にないが、万全を期してもなお負ける可能性がある時はジタバタしない。運を天に任せるという「覚悟」もあるからこそ、メチャクチャ強いのである。

OSAMU

アカギに憧れ、気に入られ、安全なる地獄見学ツアーを体験した"好青年"!

治

結局やったのは俺なんですから

ABILITY GAUGE

雀力	★☆☆☆☆
技術	★☆☆☆☆
運	★★★★☆
権力	☆☆☆☆☆
カリスマ	★☆☆☆☆

アカギと同じ玩具工場で働いていた世間知らずで気弱な青年。寮の先輩たちから強引に誘われ、イカサマ麻雀でカモられていた所を、負けた後の潔さを気に入られ、アカギに助けられる。麻雀とケンカで先輩をフルボッコにしたアカギに憧れ、ついていくが、アカギと一緒に喫茶店にいたところをヤクザに拉致される。さらにはアカギの代打ちとして、プロの代打ち・浦部と対決させられる。アカギに出会ったためにとんでもない体験をするが、結果的には人生でもめったにない修羅場を五体満足でくぐることができた幸運な青年ともいえる。

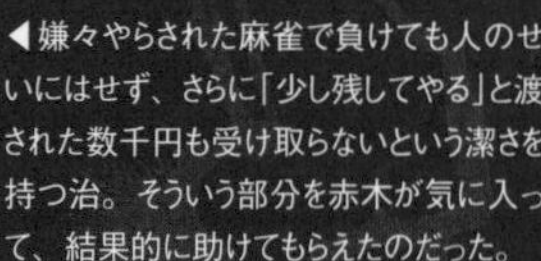

◀嫌々やらされた麻雀で負けても人のせいにはせず、さらに「少し残してやる」と渡された数千円も受け取らないという潔さを持つ治。そういう部分を赤木が気に入って、結果的に助けてもらえたのだった。

◀アカギについていこうとしたが、アカギからは「オレなんかのそばにいると、とばっちりで火の粉がいくこともあるんだぜ…」と警告される。治は「覚悟しています」と言ったが、その数秒後こんな状況に。ヤクザに囲まれるって、火の粉どころじゃない!?

IRAYAMA YUKIO

平山幸雄

確率にうとい者をけむに巻くことはできても、オレにそれはきかねえよ

驚異の記憶力と確率計算で、アカギの名を騙った秀才"ニセアカギ"!

外見がアカギと瓜二つであること、そして本物のアカギが行方不明になっていることを利用し、不良刑事・安岡が平山幸雄を「アカギ」として裏社会へ売り込んだ。つまり、平山は「ニセアカギ」として裏社会で活躍しようとしていたのだが、奇しくも同じ頃、本物のアカギが発見されてしまう。アカギと平山は麻雀で勝負をすることになったのだが、平山はその前に、敵の代打ち・浦部に完敗してしまい、その機会を逸する。最後は鷲巣麻雀に挑み、血液を抜かれて殺されてしまったらしい。本物のアカギのような悪魔的な強さはないが、記憶力や計算能力などはズバ抜けて高いアベレージ・タイプの雀士。

ABILITY GAUGE

項目	評価
雀力	★★★★☆
技術	★★★☆☆
運	★★★☆☆
権力	★★☆☆☆
カリスマ	★★☆☆☆

◀ちょっとした余興じみたゲームで、アカギから腕を賭けろと言われたニセアカギ。本家・アカギと違ってそういうムチャはしないのだ。

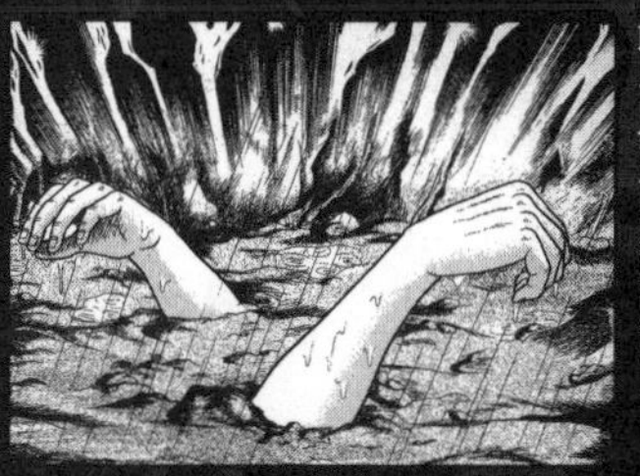

◀鷲巣麻雀で血液を抜かれ、平山は死亡。山の中に埋められそうになっているところを市の職員に発見されることとなる。

入学式

校長あいさつ

諸君、麻雀中学へようこそ！
わしが校長の鷲巣巌であるっ…！

当然、ここは普通の中学とは違う。
麻雀を基礎から覚え、そのルールを叩き込むための中学だ。
なあに、簡単、簡単。ルールを覚えるぐらいは、誰だってできる。
雀荘や麻雀サイトにのさばる愚民どもを見るがいい！
見るからに愚図、クズ、塵、芥…っ！
何の役にも立たぬ平凡な輩でさえ、のうのうと麻雀を打っておる。
仕事もロクにせずっ、ヘラヘラとっ…！
楽しそうに麻雀ライフを満喫しておるっ！
しかしまぁ、それも仕方あるまい。麻雀は面白すぎるからな！
麻雀は、愚民どもの人生にも、いろんな意味を持たせてくれる。
それほどまでに、よくできた遊戯…！
まず諸君らは、この麻雀中学で麻雀のルールとシステムを覚えることだ。
そうして、いくらかましな打ち手になって、
いつかわしを、愉しませられるような存在になってもらいたいっ！
このわしが、このわしの手で…諸君らを…殺す日を待っておるっ…！

ざわ‥
ざわ‥
ざわ‥

ざわ‥
ざわ‥
ざわ‥
ククク、カカ
カカカッ、ココココッ、キィキィッ…！
…いや、殺すというのは、いわゆるバクチ用語じゃ、深い意味はないぞ！
諸君、せいぜい、頑張りたまえっ！
ざわ…　ざわ…

CONTENTS

ざわ‥

ざわ‥

ざわ…

CONTENTS

ざわ‥

ざわ‥

アカギ
入門の闘牌
東
發
1学期 麻雀のきほん
講師
安岡
南郷

NANGO

南郷

九死に一生を得た凡人ギャンブラー
"ザ・普通の男"!

勝てないと思ったよ…
オレは自分がかわいかった…

ABILITY GAUGE

雀力	★★☆☆☆
技術	★★☆☆☆
運	★★★☆☆
権力	★★☆☆☆
カリスマ	★★☆☆☆

多額の借金を背負い、その借金の棒引きと自分の生命(負けたら死んで生命保険で支払い)を賭け、ヤクザと麻雀勝負をしていた男。言うまでもなく負けそうなところだったが、偶然現れたアカギに、一縷の望みを託すことにした。アカギはただの中学生で麻雀のルールも知らなかったが、類稀なるセンスで大逆転勝利を収め、結果的に南郷は救われる。その後しばらくアカギと安岡刑事に付き合わされるが、結果的には勝ち金を手にし、そのタイミングでギャンブルからキッパリと足を洗うことに。この自分の力量を冷静に見極めた引き際がお見事。

▲せめて、賭ける金は浮いている分の300万円だけにして欲しいと頼む南郷。そう考えるのが普通だが「あと一晩だけ狂気に魂を預けておけばいい…!」と、アカギに押し切られてしまう。

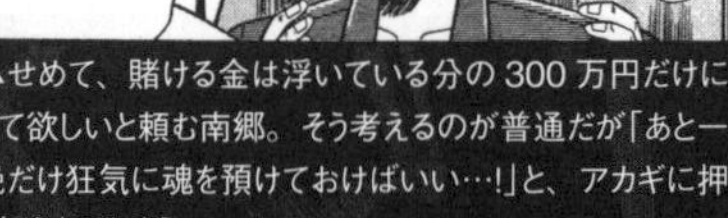

◀最初は乗り気じゃなかった南郷も、いざ勝つと嬉しそうに勝ち金の計算。この、リアル凡人ぶりがいい。

YASUOKA

安岡

アカギをマネジメントして稼ぐ“不良刑事”！

安心しなアカギ。最高の舞台をセッティングしてやる！

ABILITY GAUGE

雀力	★★☆☆☆
技術	★★☆☆☆
運	★★★☆☆
権力	★★★★☆
カリスマ	★★☆☆☆

チキンランをやった容疑者の少年・アカギを追っていた刑事だが、発見したアカギの麻雀の才能に気づき、職務を半ば放棄。逆に、刑事という立場を利用して、ヤクザ世界の麻雀勝負でアカギが活躍できるようブッキングし、金儲けをたくらむ。実際に市川戦などではかなり儲けたはずだが、肝心のアカギが行方不明になってしまったため、平山幸雄（＝ニセアカギ）をアカギに仕立てて再び儲けようとするが、それが縁で本物のアカギと再会。結局、稲田組の若頭・仰木と組んで鷲巣戦をマネジメントすることに。

▲ベテラン刑事らしく、ひと目で赤木がチキンランの犯人だと断定したが…

▲職務を忘れ、タバコをふかしながらアカギの麻雀を観戦。アカギが犯人だと思っているからとどまっているようだが、それよりまずは麻雀が好きなのかもしれない。

麻雀とはどんなゲームか

・短期的には、あがると勝ち(1局)。

・長期的には、1位になると勝ち(1試合)。

・親が2周する東南戦なら約10局で1試合。親が1周する東風戦なら約5局で1試合。

・野球では攻撃と守備を9回ずつやって1試合であるのと同じようなもの。

・1試合が終わったとき、持ってる点数が多い順に、1着、2着、3着、4着と順位がつく。

・さらに長期的には、勝ち負けのトータルがプラスなら勝ち(一晩)。

麻雀というのはな、誰かがあがるまで１局が続いて、誰かがあがったら終了。そしたら次の局にいって、それをくりかえす。こうして4人が親を2回ずつやったら終了だ。それが1試合。これを半荘（はんちゃん）という。一晩に、それを何度かやって、トータルの勝ち負けを決めるわけだ。

結局は、長期で勝てるかだからな。
１局ごとの結果にあまりオタオタすることはないぞ。

フッ…、麻雀で勝つには、その男の根っこ、「潜在意識」や「イド」とすりあうようにある、人間の最も原始的な思考の流れを見定めること…。

え…、アカギ君、な、なに言って…？

牌

麻雀卓

点棒

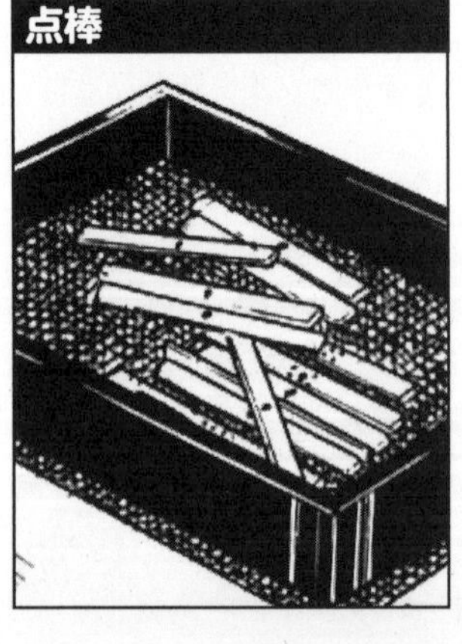

さいころ

麻雀で使う道具

麻雀するのに必要な道具といったら、まず牌(パイ)だ。リアルな麻雀では、カードじゃなく、牌を使う。牌という漢字はあまり見ないだろうが、パイのことだから、覚えておけよ。あとは、サイコロ、点棒、卓といったところだな。

雀荘の卓は最近では全自動になってるし、また、ゲームやネットで麻雀するときは、何も道具はいらなくて、目にするのは牌だけ。そういうこともあるな。

麻雀用語メモ

牌▼
パイ。あまり使わない漢字だが、麻雀では基本なので覚えておこう

ペンとメモ

灰皿

マンズ

イーまん　リャンまん　サンまん　スーまん　ウーまん　ローまん

チーまん　パーまん　キュウまん

ピンズ

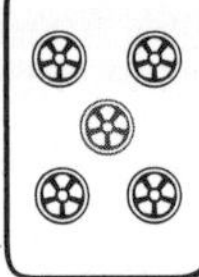
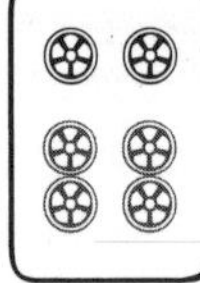

イーぴん　リャンぴん　サンぴん　スーぴん　ウーぴん　ローぴん

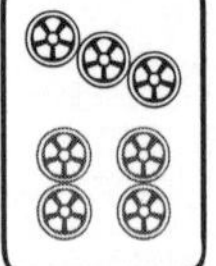
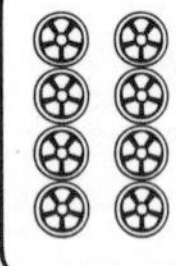

チーぴん　パーぴん　キュウぴん

イーとかリャンというのは、中国語の数字だ。ふつうに日本語読みで「いちまん」「にまん」みたいに読んでもいいが、中国読みするとちょっとかっこいいぞ。

牌の種類

ソウズ

イーそう

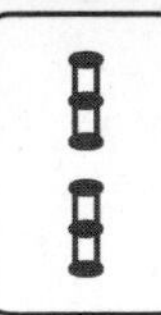
リャンそう

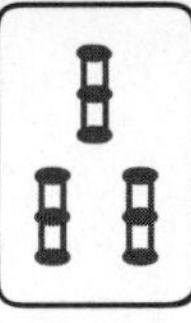
サンそう

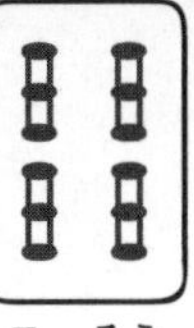
スーそう

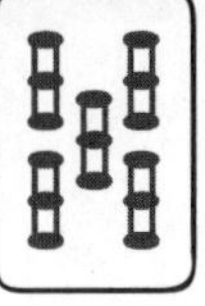
ウーそう

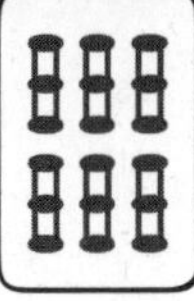
ローそう

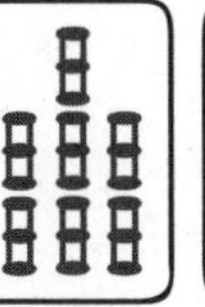
チーそう

パーそう

キュウそう

字牌

トン

ナン

シャー

ペー

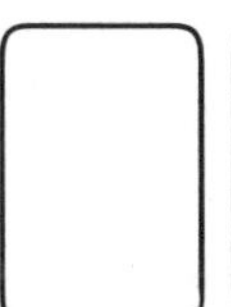
ハク

ハツ

チュン

1がイーとか、3がサンとか、すぐわかるのもあるけど、5がウーとか、7がチーとか、覚えなきゃわかんないのもあるね。

- 東南西北の4枚を裏返しにしてかきまわし、1枚ずつ引く。
- 東を引いた人が好きな席に座り、あとは反時計回りに、南→西→北という順番に座る。
- 東を引いた人は仮東（かりとん）と呼ばれる。

この東→南→西→北という順番を見て、何か気づかないか？　普通の東西南北という順番とは違うだろ。麻雀では、いつも東南西北という順番になるから、覚えておけよ。
そしてもうひとつ、この東南西北という方角が、地図とは裏返しになってるだろ。わかるか？　本来なら東北西南となるはずだ。不思議な話だが、卓上の方位は現実の裏返しになっている。

麻雀用語メモ

方角▼
卓上では方角は関係ない。大事なのは東→南→西→北という順番

場所決め

西

北

南

東

東 南 西 北

好きな場所へ

実際の方角とは裏返しになってるなんて、なんか神秘的だね。どうしてそうなったんだろう…？

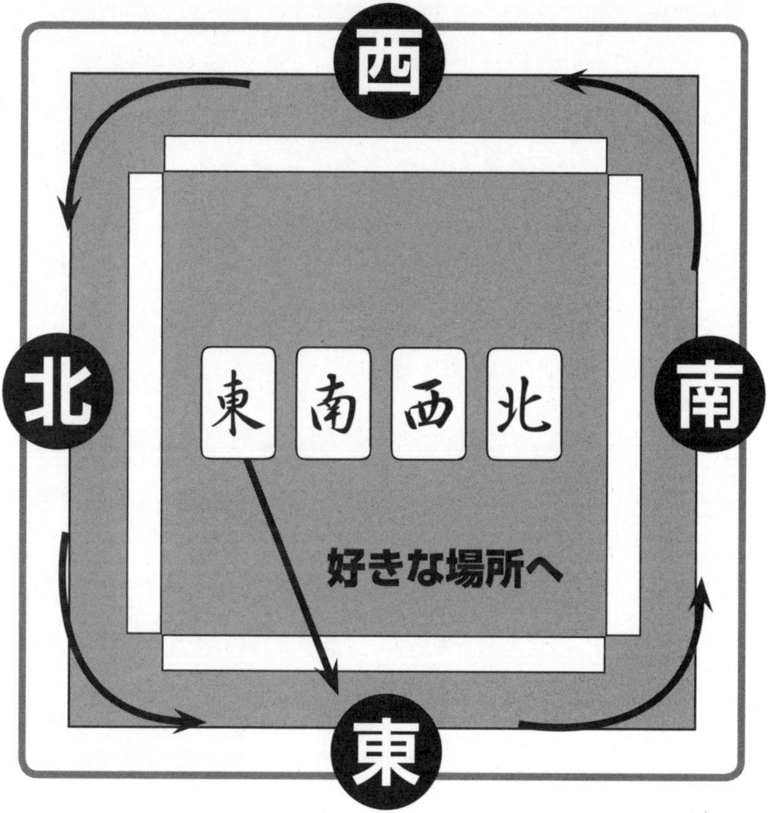

・場所決めで仮東になった人がサイコロを振る。

・出た目の示す人が起家（チーチャ、最初の親）になる。

・サイコロを振って、合計５か９が出たときは仮東の人が起家に。

・２か６か 10 が出たときは右側の人が起家に。

・３か７か 11 が出たときは対面の人が起家に。

・４か８か 12 が出たときは左側の人が起家に。

サイコロでいくつの目が出たら、どの人を指すのかは、暗記してしまおう。これは配牌を取るときにも使うからな。
いつ親になるのがいいかは、まあ考え方しだいだ。好き好きってやつだな。

手段は選ばない。地獄を一度くぐっちまうことさ…！

親決め

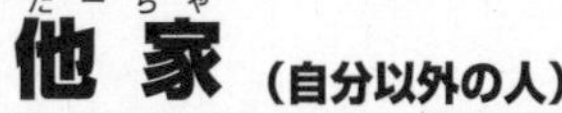

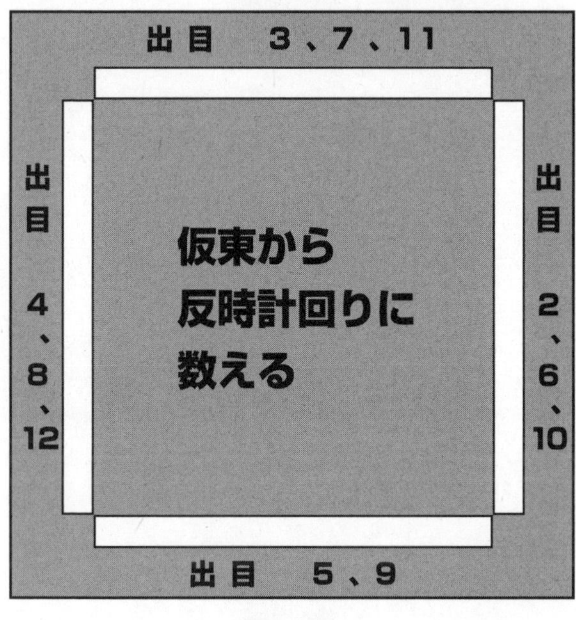

仮東　サイコロを振る

自分　5（じご）・9（じく）

右側　2（うに）・6（うろく）・10（うじゅう）

対面　3（といさん）・7（といしち）
11（といじゅういち）

左側　4（さし）・8（さっぱ）・12（さじゅうに）

麻雀用語メモ

親▼
毎局一人が親になる。親は順番に回ってゆく。あがると子の1.5倍の点数がもらえる

親と子

- 毎局、親１人と子３人になる。
- 親は順番に回っていく。
- 親はあがると点数が 1.5 倍。
- 子がツモであがったときは、親の支払いは２倍。
- 親はあがるか、流局したときにテンパイしていたら、次の局も親ができる。これを連荘（レンチャン）という。
- 子があがるか、流局したときに親がノーテンだったら、親は次の人（南だった人）に移動する。

麻雀用語メモ

連荘（レンチャン）▼
親があがって、つぎの局も親を続けること。これをやると有利

親はハイリスクハイリターンだから勝負所だ。親であがると勝てるし、親のときに無理して負ける人も多い。つきつめると、麻雀は、親でどう稼ぐかってゲームなんだ。そこんとこよーく考えとけよ。

アカギの親を……！

ぐっ…！

チッ…

が…

ここから…

親という有利な立場にいるアカギ。子があがると、親はつぎの人に移るため、アカギの親は終わる。鷲巣は必死でアカギの親を蹴ろうとしている。

データを調べてみたら、親って、あがりも振り込みも多いんだな。それだけみんな強引に勝負にいってるってことか。

- サイコロを振って取り出す場所を決める。
- 5か9が出たときは親の山から。
- 2か6か 10 が出たときは南家の山から。
- 3か7か 11 が出たときは西家の山から。
- 4か8か 12 が出たときは北家の山から。
- 取り始める山が決まるだけじゃなく、場所も決まる。
- 親から順に 4 枚ずつ取ってゆく。
- 4 枚を 3 回取ったら、最後に親は 2 枚、子は 1 枚ずつ取る。

ここらへんは、ネット麻雀やゲームではいらない知識だから、リアルに人と打たないとなかなか覚えられない。まあ、やってりゃすぐ覚えちゃうから、心配いらないけどな。

配牌の取り方

最後にとる部分

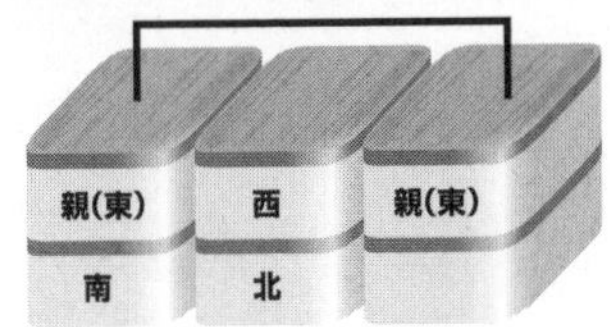

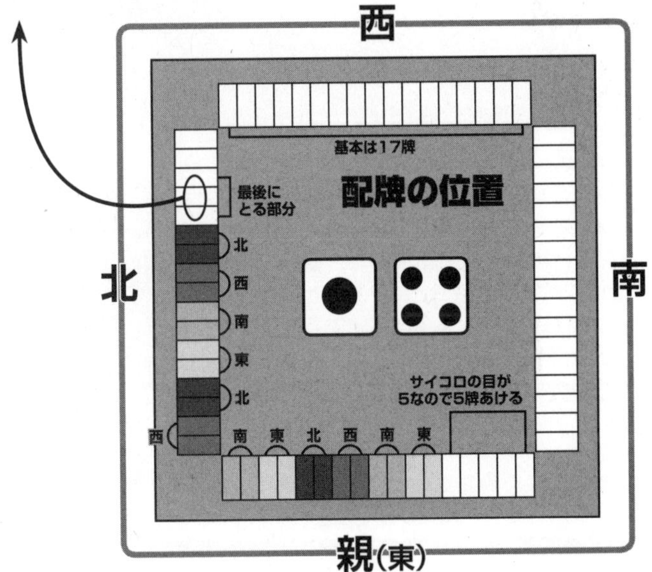

自分　5(じご)・9(じく)
右側　2(うに)・6(うろく)・10(うじゅう)
対面　3(といさん)・7(といしち)・11(といじゅういち)
左側　4(さし)・8(さっぱ)・12(さじゅうに)
反時計回りに数える

5を自5、6を右6って覚えるのか。九九みたいだね。

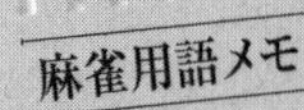

麻雀用語メモ

配牌▼
最初に取った状態の手牌

- 配牌を取ってきたときはバラバラ。それをそろえる。
- どれくらいちゃんとそろえるかは好き好きでいい。

ゲームやネット麻雀だったら最初から理牌されてるが、リアルな麻雀では自分でそろえないとバラバラのままだ。理牌はな、自分の好きなように並べればいい。全部きちんと並べてもいいが、慣れてくると多少は省略するようになってくる。それでいいんだ。好きなようにしろ。

ふーん。並べるだけのことをリーパイって言うのか。麻雀は専門用語が多いな。

麻雀用語メモ

理牌（リーパイ）▼
わかりやすいように牌を並べ換えること

1学期 麻雀のきほん

理牌する

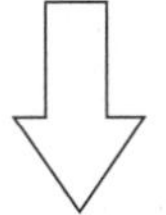

見やすく並べる

伍萬 七萬 八萬 ① ④ ⑥ 4s 5s 8s 1s 東 西 中

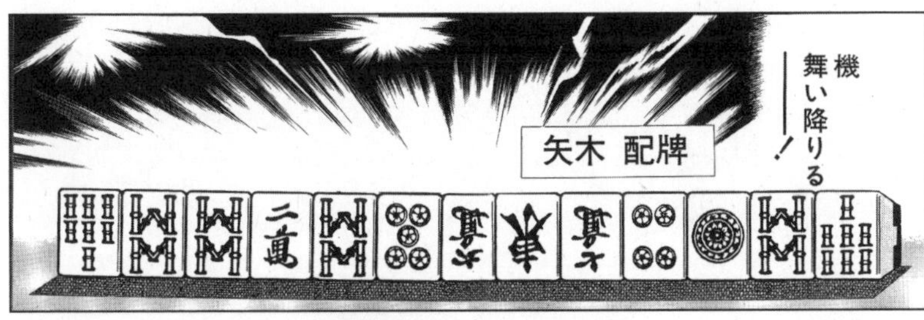

1学期 麻雀のきほん
2学期 手役をおぼえる
3学期 点数計算のしくみ
補習

- 東場と南場がある。
- 東場には東が場風となり、３枚そろえると１ハンの役になる。
- 南場には南が場風となり、３枚そろえると１ハンの役になる。
- 自風というのもあり、東家(親) は東、南家は南、西家は西、北家は北を、３枚そろえると１ハンになる。
- 東場の東家や南場の南家など、場風と自風がダブったときは、ダブ東やダブ南となって２ハンになる。
- まず東１局から始まって、次の局は親が交代して東２局となる。親は東→南→西→北の順番に回っていく。
- 東１局、東２局、東３局、東４局、南１局、南２局、南３局、南４局と進んで、南４局（オーラスという）で終了。
- ただし親が連荘したときは、たとえば東２局の次は東２局１本場となって、東２局が続く。連荘が終わったら、東３局に進む。
- 東風戦だと、東１局、東２局、東３局、東４局（オーラス）と、親が１周で終了。

どうだ。こうやって説明されると、すごく複雑な感じがしちゃうだろ。まあ実際、複雑っちゃ複雑なんだが、そんなに心配するほどのことじゃない。すぐ慣れるからな。場風と自風があって、その風牌を３枚そろえると役になるってことだけ覚えればいい。

場と風と局

普通なら南４局が最後の局。
しかしアカギvs市川戦は、どちらかの点棒がなくなるまでという特殊ルールになっているため、南４局も途中経過にすぎない。

麻雀用語メモ

連荘(レンチャン)▼
親があがって、つぎの局も親を続けること。これをやると有利

ダブ東は親にとって効率がいいから、要チェックだな。

コーツ
……同じもの3枚

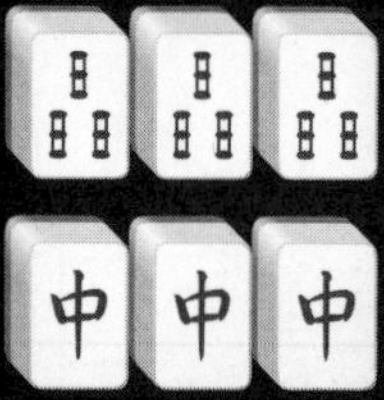

シュンツ
…数字の並び3枚

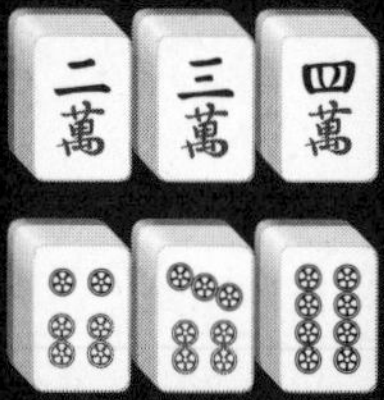

カンツ
……同じもの4枚

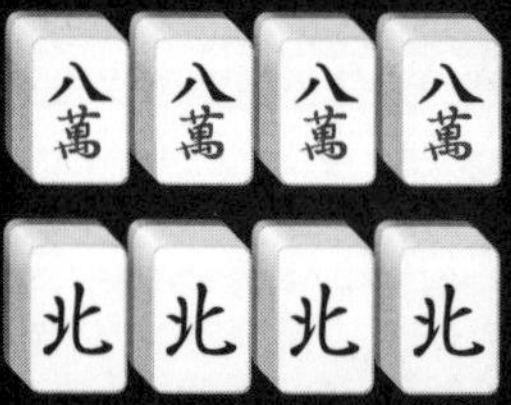

トイツ
……同じもの2枚

お前らも麻雀は組み合わせのゲームだって気づいているだろ。数字や字を組み合わせて、こういうもんを作るゲームなんだ。わかるだろ。

メンツの種類

- 3枚1組のものをメンツという。これが基本。
- メンツには、同じもの3枚をそろえるコーツと、数字の並びをそろえるシュンツがある。
- 4枚1組のカンツはコーツの発展形で例外的な存在。
- 2枚1組のトイツはコーツの卵的な存在。

確率が重要なゲームってことだろ。オレの得意分野だな。

なるほど、凡夫だ…。的が外れてやがる…。

麻雀用語メモ

メンツ▼
3枚1組のセットのこと。麻雀はメンツをそろえるゲーム

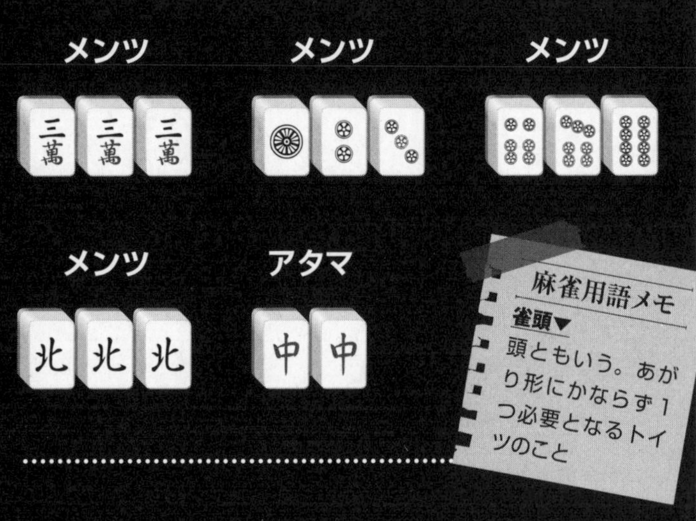

・メンツを4つ、トイツを1つそろえるのがあがりの形。

・「4メンツ1雀頭（じゃんとう）」という言葉を覚えておこう。

・どういうメンツをそろえるかで、役ができる。

いいか。麻雀は4メンツ1雀頭をそろえるゲームだ。これは簡単なようで、すごく大事だから、頭に深く深く叩き込むんだぞ。

あがりの形

1学期 麻雀のきほん
2学期 手役をおぼえる
3学期 点数計算のしくみ
補習

実戦の中で赤木は
少しずつ麻雀を把握していく

麻雀とは4面子1雀頭の構成——
その組み合わせのスピードや点数の高さを競うゲームであること——

なるべく鳴かないで手作りすることが得策

□發中は同じものを3枚持てば1翻の便利な牌

南郷に頼まれて、役などいっさい知らないどシロウト以前の状態で卓につき、実戦の中でルールを覚えていくアカギ。アカギ級の人じゃない限り、打ってるだけで覚えるのは無理なので、本を読むか人に教わろう。

ふーん。つまり、バランスよくメンツをこしらえなきゃいけないってことか。

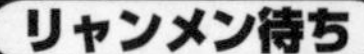

リャンメン待ち

一萬と四萬であがり

シャンポン待ち

二萬と北であがり

カンチャン待ち

であがり

タンキ待ち

であがり

ペンチャン待ち

であがり

麻雀用語メモ

テンパイ▼
あと1枚でアガリになる状態

待ち▼
どの牌がくればあがりになるか。または最後の1枚を待つ形のこと

・テンパイしたとき、待ちの形は5種類ある。

・待ちの枚数が多ければ多いほどあがりやすい。

つまり、リャンメン待ちは、シャンポンやカンチャンやペンチャンの2倍有利ってことだな。

待ちの種類

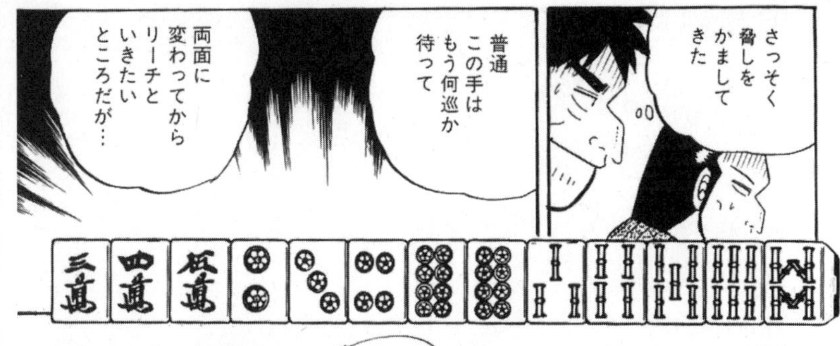

矢木はアカギの対応を見るため、少し待てばより良いリャンメン待ちに変わりそうなのに、それを待たずにカンチャン待ちでリーチしてきた。

南郷

待ちの形は5種類あるわけだが、2種類を待てるのは、リャンメン待ちとシャンポン待ちの2つだけだろ。いいか、大事なのは種類よりも枚数なんだ。
1種類の牌は4枚ずつだから、リャンメン待ちは8枚あるけど、シャンポン待ちは2枚ずつの4枚しかない。これは、カンチャン待ちの4枚やペンチャン待ちの4枚と一緒だ。
そして一番少ないのはタンキ待ちの3枚だ。
大事なことだからくりかえして言うぞ。大事なのは枚数だから、リャンメン待ちが一番有利だ。

・自分の番がきたら、ツモを持ってきて、一番いらない牌と取り替えて捨てる。

・捨てた牌は順番に並べる。流局したときには6枚ずつ3段になるように。

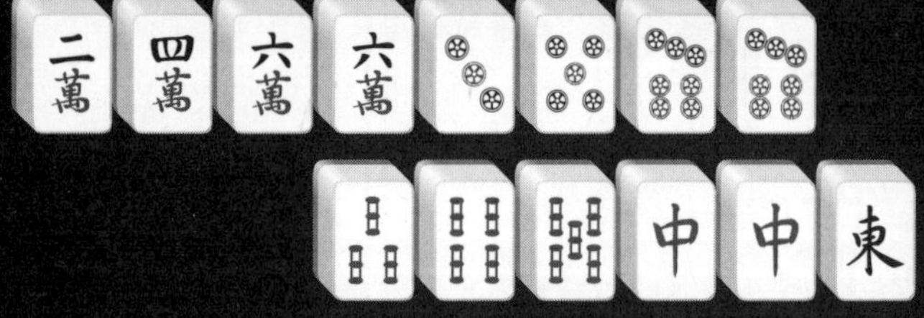

こんな手にツモで三萬を持ってきたら、一番いらない東を捨てる。

持ってきては捨てる。また自分の番がきたら、持ってきては捨てる。そのくりかえしだ。自分の順番がきたら、何もいわれなくてもすぐツモるよーにしろよ。遅いと迷惑だからな。

ツモと捨牌

麻雀用語メモ

流局▼
局が終わること。ツモを最後まで取ってしまっても、あがりが出ない状態

天才が目覚めた瞬間。アカギは麻雀を覚えて数時間で捨牌を三種類に分類して、その本質を裸にしてしまった。

麻雀の捨牌は、安全エリアか危険エリアか、そのどちらとも判別できないノイズも加えて、この三種で100%説明がつく。

ポン 誰から鳴いたかわかるようにする

←上家からポンした

←対面からポンした

←下家からポンした

- コーツをそろえるのがポン。誰からでもできる。
- シュンツをそろえるのがチー。上家（左側の人）からだけ。
- 誰からどの牌を鳴いたのか、わかるように横向きにする。
- 鳴いた牌がわかるように、そのメンツを卓の右端におく。

複雑なように見えるけどな、これをちゃんとやらないと、あとで出てくるフリテンの問題が起きるんだ。だから、このルールを覚えてこの通りにやるしかない。やってりゃ自然と覚えていくからな。

鳴き1

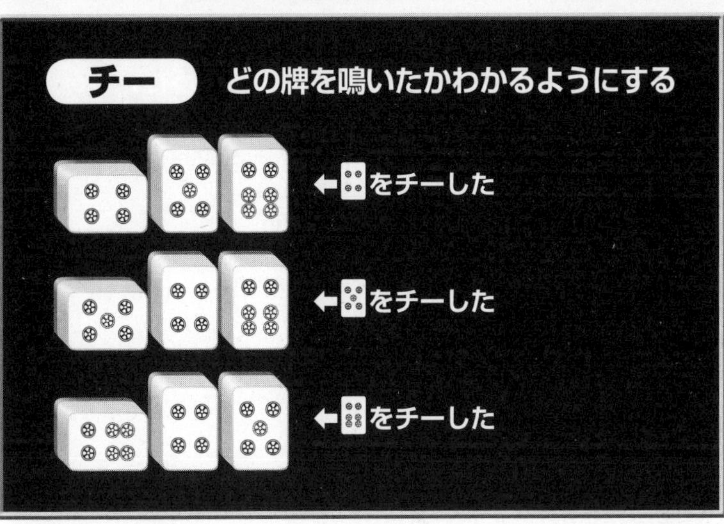

途中までジックリ手を育てながら、他家のあがりが早いと見るや、「チー」と鳴いて早あがりしてしまったアカギ。鳴きはスピードアップの手段で、うまく使いこなせると強力な武器になる。

平山
けっこう合理的だな。気に入ったぜ。
ざわ…

麻雀用語メモ

コーツ▼
555みたいに同じ牌を3枚集めたもの

シュンツ▼
345みたいな連番3枚のこと⇔コーツ

暗カン 自分のツモだけで４枚そろったとき

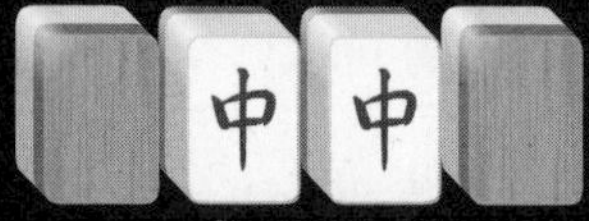

両側を伏せる

- ４枚そろったときにするのがカン。
- 暗カンと明カンがある。
- 暗カンは、自分のツモだけで４枚そろえたもの。
- 明カンは、ポンしている牌の４枚目を持ってきた場合と、アンコにしてる牌の４枚目を鳴いた場合がある。
- ポンしてる牌の４枚目を持ってきたときは加カンできる。
- 明カンは誰から鳴いたかわかるようにする。
- ドラが１種類増える。
- リンシャン牌をツモれる。

麻雀用語メモ

アンコ▼
鳴かずに作ったコーツ⇔ミンコ

リンシャン牌▼
カンすると手牌が１枚少なくなってしまうので、それを補充するために持ってくる牌

カンってのはな、何か人の心を惑わすもんがあるんだ。だから、カンしないほうがいいときも、ついカンしちゃうやつが多い。お前らもきっとそうなるから、カンのやり方をちゃんと覚えておけよ。

鳴き2

明カン アンコにしてる牌の4枚目を鳴いたとき

←上家からカンした

←対面からカンした

←下家からカンした

明カン(加カン) ポンしている牌の4枚目を持ってきたとき

↑上家からポンした牌の4枚目を持ってきた

↑対面からポンした牌の4枚目を持ってきた

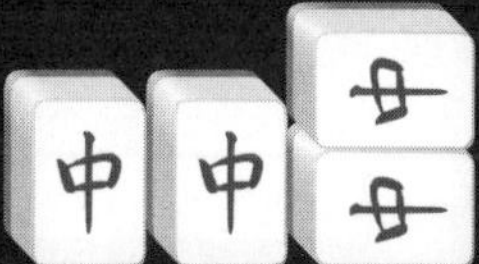

←下家からポンした牌の4枚目を持ってきた

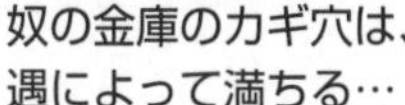

・以下の 5 つのときは、局の途中で流局となる。

1）九種九牌流れ

親でも子でも、第一ツモをツモってきて、一九字牌が 9 種類以上あったら、流すことができる（流さなくてもいい）。

2）四風連打（スーフーれんだ）

1 巡目に 4 人が同じ風牌を捨てると流局。

3）4 人リーチ

4 人目のリーチが成立した時点で流局。

4）3 人あがり

1 つの捨牌で 3 人が同時にロンしたときは流局。

5）四カン流れ

2 人以上の人が合計 4 つのカンをしたら流局。

この途中流局は、最近は採用しなくなってきてる傾向にある。たとえば「近代麻雀」の最強戦ルールでは、九種九牌流れなしで、四風連打も関係なし、4人リーチでもそのまま続行だ。だから最初に決めるか確認したほうがいいな。

途中流局

鈴木が2回カンし、鷲巣が1回カンした局面。前ページで説明したように、カンするたびにドラが1種類ずつ増えていくのだが、その3つがすべて鷲巣が持つ になった。もう1回誰かがカンすると流局となるので、アカギ陣営はそれを狙いたいところ。

どっちでもいいさ。そんなことより、ギャンブルをしましょう。本当のギャンブルを…！

麻雀用語メモ

流局▼
普通はツモを最後まで取ってもあがりが出ない状態だが、そうなる前に終わってしまうのが途中流局

- テンパイした人のあがり方はツモかロンの２通り。
- 他人が捨てた牌であがるのがロン。
- 自分のツモであがるのはツモ。

ツモとロンでは、どっちかっていえばツモのほうがいい。そのほうが高くなることが多いし、他のやつに均等に差をつけられる。ただ、ロンだと、特定の相手に大きなダメージを与えられるから、そこで一人を確実に殺すことができる。そういう長所もあるな。

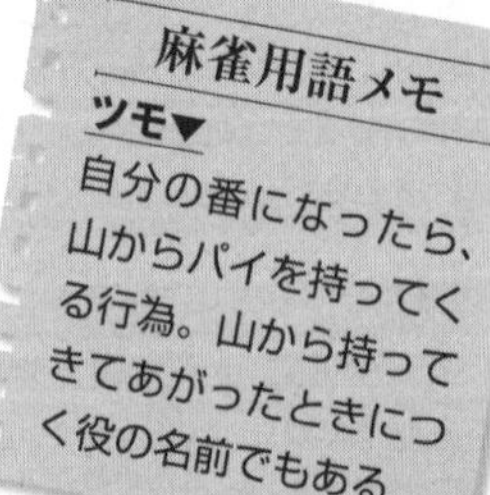

ツモとロン

ツモ殺すために…！

味方からロンしても味方の点数がもらえるだけだが、ツモると３人から点数をもらえるので、敵からも取れる。すると、鷲巣麻雀ルールの特別ボーナスももらえるので、アカギから血液を抜くことができる。この時の鷲巣はツモあがりして、アカギから血液を抜いて殺すことしか考えていないのだ。

- 最後のツモ牌（ハイテイ牌）まで取って捨牌しても、誰もあがらなかったら、流局になる。
- 流局したときに、テンパイしてない人はテンパイしている人に、ノーテン罰符として点棒を払う。
- 払う点数はテンパイしている人数によって変わる。

1人テンパイ

テンパイの人…3000点もらう
ノーテンの人…1000点払う
ノーテンの人…1000点払う
ノーテンの人…1000点払う

2人テンパイ

テンパイの人…1500点もらう
テンパイの人…1500点もらう
ノーテンの人…1500点払う
ノーテンの人…1500点払う

3人テンパイ

テンパイの人…1000点もらう
テンパイの人…1000点もらう
テンパイの人…1000点もらう
ノーテンの人…3000点払う

南郷

麻雀ってのは本来ならあがった人が点数をもらうだけだ。でもな、それだけだと厳しすぎるから、流局したときにテンパイしてるかどうかで、ノーテン罰符を払うってシステムができた。なので最後にはテンパイしてることが望ましい。ノーテン罰符をもらうために、役がないけど、形だけテンパイしてるやつを「形式テンパイ」って呼ぶな。

流局

悪いな……

ノーテンだった…！

流局したとき、アカギは本来ならノーテン罰符をもらうことができるのに、ノーテンリーチだった（間違えていた）と宣言し、手牌を見せることを拒否。ノーテン罰符をもらうためには、手牌を見せる必要があるからだ。こうしてチョンボの罰符8000点を払ったが、これは将来のための布石だった。

麻雀用語メモ

テンパイ▼
あと１枚でアガリになる状態

ノーテン▼
テンパイになっていない状態

ふーん。これまた複雑なやりとりがあるんだな。

- ドラ＝ボーナス牌。
- 配牌を取ったとき、残した王牌（ワンパイ）の最後から３枚目をめくる。
- めくった牌がドラ表示牌となり、その次の牌がドラになる。
- 毎局、ドラが１種類ある。
- カンが入ると、ドラをもう１種類増やす。
- ドラが１枚あると１ハン、２枚あると２ハン、手が高くなる。
- リーチすると、ドラの下の牌が裏ドラとなり、あがったときにドラと同じボーナス牌になる。

南郷：現代麻雀はドラ麻雀と言われるくらいドラは大事だ。いろいろ役を作るより、ドラを使いさえすれば、手は簡単に高くなるからな。
配牌を取ったらすぐに、何がドラかを確認して、うっかり切ってしまうことがないようにしろよ。

平山：たしかに
ドラは効率がいいな。

ドラ

ドラを表す順番

表示牌	ドラ
一萬	二萬
二萬	三萬
三萬	四萬
四萬	伍萬
伍萬	六萬
六萬	七萬
七萬	八萬
八萬	九萬
九萬	一萬
東	南
南	西
西	北
北	東
(白)	發
發	中
中	(白)

麻雀用語メモ

王牌（ワンパイ）▼
ドラがめくられている山のこと。最後まで使わずに残される14枚

中間テスト

暗記問題など、やや難しい問題も入ってます。覚悟して挑戦してください。

【問1】 この牌の名前はなんですか？
（10点）

【問2】 これは何待ちですか？
（10点）

【問3】 この手牌は何待ちですか？
（10点）

【問4】 流局したとき、自分ともう一人はテンパイしていませんでした。何点払いますか？
（10点）

【問5】 と持っていて、上家が切ったをチーしました。どんな風に置きますか？さらした形を描いてください。
（10点）

【問6】 がめくれたときは、
(10点) 何がドラですか？

【問7】 親決めするときに、あなたがサイコロを振ったら
(10点) 5が出ました。どの人が親になりますか？

⑴ 自分　⑵ 右側の人　⑶ 対面の人　⑷ 左側の人

【問8】 配牌を取るときに、親のあなたがサイコロを
(10点) 振ったら7が出ました。
どの人の前の山から取り出しますか？

⑴ 自分　⑵ 右側の人　⑶ 対面の人　⑷ 左側の人

【問9】 このカンは、どの人から、
(10点) どんなカンをしたのでしょう？

【問10】 この手牌は何待ちですか？
(10点)

中間テスト解答

【問1】 キュウピン

呼び方なので、だいたい合ってればOK。

【問2】 カンチャン待ちってやつですね。この問題はちょっとでも違ったら×。

【問3】 ペンチャン待ちってやつですね。この問題はちょっとでも違ったら×。

【問4】 1500点

500点の倍数になってたら、部分点で5点です。

【問5】 ７を横にする、７６８の順番にする、各5点ずつです。

【問6】 これはちょっとでも違っていたら×。

【問7】 (1)自分 これは暗記問題です。難しかったかもしれませんが、覚えましょう。

【問8】 (3)対面の人 これは暗記問題です。難しかったかもしれませんが、覚えましょう。

【問9】 自分がを3枚持ってたところに、右側の人（下家）が4枚目のを切ったので明カンした。

自分が3枚持っていた、右側の人（下家）、明カン。この各要素が３点ずつ、全部できたら＋１点。

【問10】 リャンメン待ちの応用形である３メン待ち。
1つでも抜けてたら×。

さて何点とれましたか？　やや難しい問題もあるので、60点以上取れてたら合格です。50点以下だった人は凡庸。1学期を復習して、暗記事項を覚えてください。

アカギに学ぶ名シーン 1

▶赤木は簡単に麻雀のルールを教えられた後すぐに卓に着き、実戦の中で徐々に麻雀を把握していった。どんなにセンスが良い人でも、いっぱしの麻雀打ちとして認められるまで、少なくとも数年は要するものである。なのに、赤木はいきなり麻雀を生業とするヤクザと勝負! 凄すぎる…。

▼麻雀初心者の中学生・赤木は、デビュー戦でいきなりイカサマ技を炸裂させた。自分を探しに来た刑事たちに、皆の目が行っているスキをついて捨て牌を拾うという大胆なワザ! ルールを覚えるだけで必死なはずの状態で、こんな発想ができ、しかもヤクザ相手に実行してしまうなんて、本当、凄すぎる!

アカギ 入門の闘牌

2学期 手役をおぼえる

講師

竜崎

矢木

RYUZAKI

借金で追い込んだシロウトを麻雀で食う頭脳派ヤクザ！

竜崎

ヤクザをなめた罪。それはこの世で一番重い実刑。情状酌量の余地なし——

ABILITY GAUGE

雀力	★★☆☆☆
技術	★★☆☆☆
運	★★☆☆☆
権力	★★★☆☆
カリスマ	★★☆☆☆

麻雀でシロウトを食ってきたヤクザ。多額の借金を負った者に生命保険を掛けさせ、借金棒引きと生命を賭けた麻雀を打たせるのが常套手段。一見、公平なように見えるが、実は命を賭けて打つ者に正常な判断ができるわけもなく、そのほとんどが精神的に自滅してしまう。獲物をプレッシャーで押し潰すことを生業とするハイエナ。しかし、その手法はアカギにはまったく通用せず、プロの代打ち・矢木を応援に呼ぶハメになる。

◀矢木を応援に呼びましょうか？　と提案した若い衆にいきなりヤキ入れする竜崎。中学生相手にプロの代打ちを呼ぶなんてもってのほかなのだ。

▶アカギに完敗してしまった竜崎＆矢木。ヤクザをも恐れぬ赤木の凄みに恐怖を感じる竜崎だが、そういえばこの後まったく登場しない。組に迷惑をかけたら…いや、やっぱり想像するだけで怖いのでやめておこう。

YAGI

凌ぎの発想が違うのさ。プロは心理からからめとる……！

アカギの恐ろしさを初めて味わった"知略のバイニン"！

矢木

ABILITY GAUGE

雀力	★★★☆☆
技術	★★★☆☆
運	★★☆☆☆
権力	★★★☆☆
カリスマ	★★☆☆☆

アカギに苦戦を強いられたヤクザ・竜崎が、このままではヤバイと感じ、見栄を捨てて呼び寄せたプロの代打ち。アカギの麻雀を一局見ただけで「見くびらない方がいい」と判断し、その半荘が終わるまで見（ケン）にまわるなど、竜崎と比べれば数段上の実力と眼力を持っている。しかし、その才能を覚醒させたアカギにはかなわず、最後はボロボロにされてしまった。

◀アカギの麻雀を一局見ただけで「見（ケン）」をすると判断した矢木。プロは中学生だからといって、むやみに相手をナメないのだ。

◀そしてついに矢木は赤木が仕掛けた悪魔のようなワナにハマってしまう。挙句の果てに、面と向かって暴言を吐かれてしまった…。

- 役を数える単位をハンといい、1ハン以上の役がないとあがれない。
- これを1ハン縛りという。
- ドラは役にならない。
- かんちがいして役なしであがってしまったら、チョンボとして、親は1万2000点、子は8000点払う。
- どうやって1ハン縛りをクリアするかが腕。
- 1ハンだけでは安いが、ドラがいっぱいあるときなど、役をどうやってつけるかがキモになる。

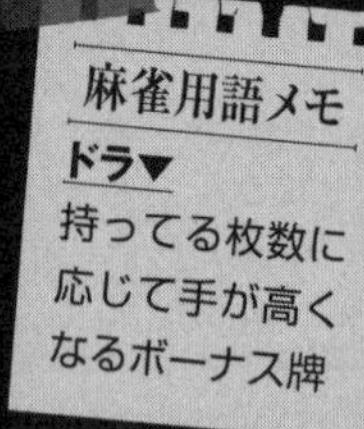

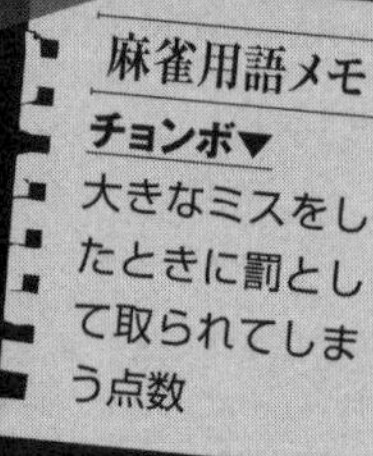

いいか、麻雀では、最低ひとつは役がないとあがれないんだ。ドラじゃ駄目だからな。いくらシロートだとはいっても、よく覚えておけよ。

1ハン縛り

最低1つは役が必要になるが、アカギは手役の正体を見せなかった。最初はタンヤオに見せ、つぎに三色同刻を匂わせ、最終的にはホーテイだった。ありえない進行だ。やろうと思ってもできるもんじゃない。普通ならありえない。それを可能にしてしまうのが、アカギという風雷の軌道なのだ。

ぼくだって、これくらいは守れるよ。チョンボなんてしないさ。

もっとも重要な役	かなり重要な役
出現率 10%以上	出現率 1%以上
リーチ	イーペーコー
役牌	三色
ピンフ	一通
タンヤオ	チャンタ
ツモ	トイトイ
一発	チートイツ
	ホンイツ

麻雀用語メモ

出現率▼
全あがりの中で、その役が何%を占めていたか示す数字

重要な役

最低1つは役が必要だから、「もっとも重要な役」のどれかをアカギは作っている。だが、変則待ちにするため、それだけだ。一方で、市川は王道をいく役を作っている。その王道をいく役こそ「かなり重要な役」なのだ。

それぞれの役のページに出現率の数字が出てる。それを見ると、格差の激しさがわかるはずだ。20%も出る役が4つほどあるのに、1%も出ない役がいっぱいあって、値段は2倍程度しか違わなかったりする。
てことは、メインの武器になる役は決まってくるってことだ。それをどう使いこなすかで差がついている。まぁシロートは、ここに挙げた役だけ考えていればいい。

役の高さと難易度にはズレがあるってことか。てことは、頭の中で補正表を作ってしまうのが良さそうだな。

メンゼン系の役

リーチ➡ダブルリーチ
ツモ
一発

シュンツ系の役

イーペーコー➡リャンペーコー
三色
一通

コーツ系の役

トイトイ
チートイツ
三色同刻
三暗刻➡四暗刻
三槓子➡四槓子
混老頭

一色系の役

ホンイツ➡チンイツ
緑一色
九蓮宝燈

端っこ系の役

チャンタ➡純チャン
混老頭➡清老頭

字牌系の役

役牌
小三元➡大三元
四喜和
字一色

役をひとつずつ暗記するのも大事だが、こうやって系統的に理解するのも大事だぞ。そうすると頭に入りやすいからな。とくに→がついてるやつは発展した役だから、どちらか一方を覚えたら自然ともう一方も覚えちゃうだろ。
こうやって系統的に分けるのは、ただ暗記のためだけじゃない。理解が深まるから、手作りも上手くなるんだ。全部の役を勉強し終わったあと、もう一度この内容を復習しろよ。

役の分類

偶然系の役

一発
リンシャンカイホウ
ハイテイツモ
ホーテイロン
チャンカン
天和
地和
人和

その他の役

タンヤオ
流しマンガン
国士無双

麻雀用語メモ
メンゼン▼
ポンやチーしてない状態のこと

治
なるほどね。こうやって性格別にわけられると、覚えられそうな気がするよ。

- 役は複合する。
- うまく複合させて、無理なく高い手にするのがコツ。
- 複合しない役もある。
- 代表的な複合パターンを頭に入れていると作りやすい。

麻雀用語メモ

複合▼
いくつかの役が同時にできること

無理なく複合できる役を作って、効率よく高い手にするのがプロだ。代表的な複合パターンは頭に入れてしまえよ。これが頭に入ってることが第一歩だからな。

役の組み合わせ方にもパズル的な感覚が必要ってことか。麻雀って数理センスが重要そうだな。

役の複合

代表的な複合パターン

リーチ＋タンヤオ＋ピンフ
（メンタンピンと呼ばれる）

ピンフ＋三色

タンヤオ＋三色

タンヤオ＋ピンフ＋三色

ピンフ＋一通

ピンフ＋イーペーコー

トイトイ＋三暗刻

チャンタ＋役牌

チャンタ＋イーペーコー

ホンイツ＋役牌

ホンイツ＋一通

タンヤオ＋イーペーコー

タンヤオ＋チートイツ

立直

手牌の形は関係なし。

鳴かずにテンパイしたときは、
①「リーチ」と宣言する
②千点棒を卓の中央に置く
③そのとき捨てる牌を横向きに捨てる
これでリーチが成立。
一発や裏ドラというボーナスチャンスが得られてお得な役だ。

鳴かずにテンパイして、「リーチ」と宣言すれば、それだけで役になるんだ。そのとき捨てる牌を横向きにして、リーチ棒として千点棒を出してくれ。

1ハン役

どうだ、簡単だろ？　鳴かずにテンパイすればいいんだ。これが一番基本的な役だからな。まずこいつをめざすことだ。

出現率は45%。
難易度★☆☆☆☆だな。

ククク…、
白痴でも作れる
役ってわけか。

麻雀用語メモ

テンパイ▼
あと１枚でアガリになる状態

リーチ棒▼
リーチするときに出す千点のこと

役になる字牌を3枚そろえる役　》ヤクハイ

役牌

役レベル
1ハン
鳴き
あり

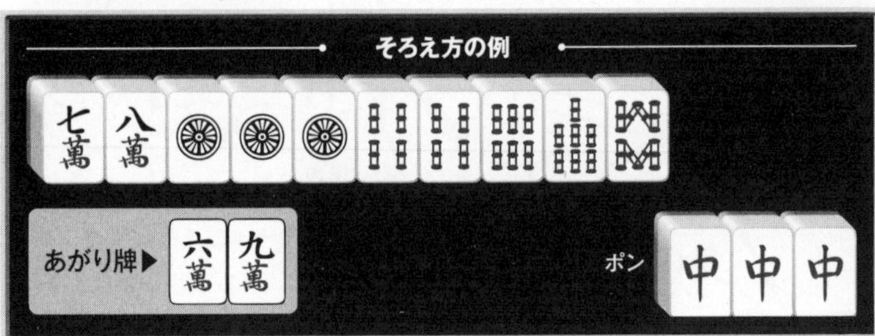

3枚そろえると役になる字牌、それを役牌というんだ。いいか、これには3種類ある。
①三元牌（白發中）、②場風（東場の東、南場の南）、③自風（東家の東、南家の南、西家の西、北家の北）だ。
つまりな、三元牌は無条件でOKだが、風牌のうち場風でも自風でもないやつだけは、オタ風といって役にならない。わかるか？

出現率は40%。
難易度★☆☆☆☆だな。

1ハン役

場風と自風は複雑だが、がまんしろよ。あとな、場風と自風が重なったとき（つまり東場の東家と南場の南家）は、ダブ東とダブ南といって、2ハンになるからな。これはけっこうお得だぞ。

なんか複雑だけど、字牌ポンだけで簡単に役になるってのは便利だよね～。

麻雀用語メモ

場風▼
場の風。4人が1回ずつ親をやり終わるまでは東場、2回目は南場

麻雀用語メモ

自風▼
自分の風。親との位置関係で局ごとに移ってゆく

シュンツだけ作って両面待ちでアガる役 ≫ピンフ

平和

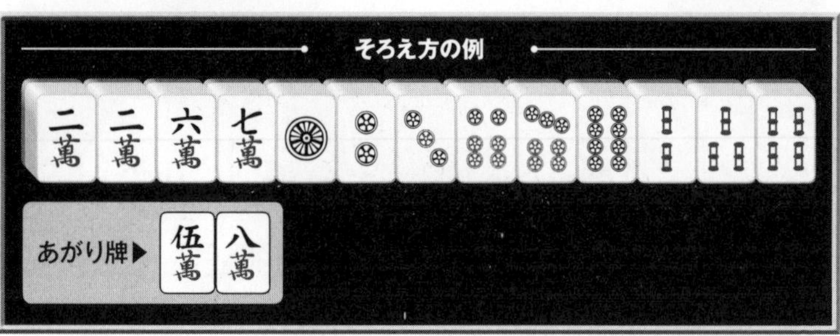

これも基本的な役だ。いいか、条件は4つ。①鳴かずにテンパイ、②シュンツだけ、③最後は両面待ち、④役牌は頭にしちゃ駄目。
どうだ、覚えられるか？

麻雀用語メモ

役牌▼
3枚そろえると役になる字牌のこと

麻雀用語メモ

シュンツ▼
345みたいな連番3枚のこと

1ハン役

ピンフの掟

①チーしちゃダメ！
②シュンツだけ！
③待ちはリャンメンのみ！
④雀頭は役牌禁止！

条件がいろいろあって複雑だけどな、出現率を見るとわかるよーに、こいつを避けては打てねーから、がんばって覚えろよ。

出現率は21%。
難易度★☆☆☆☆だな。

うわっ、複雑だ。
もう挫折しそう…。

2~8の数牌しか使わない役　》》タンヤオチュー（通称▶タンヤオ）

断么九

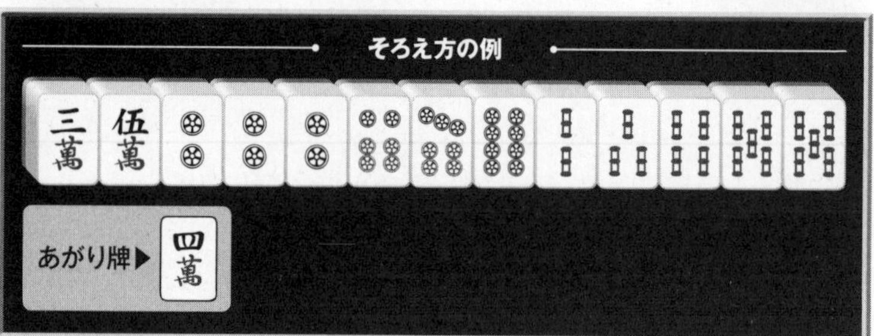

麻雀用語メモ

断么九▼

么＝1、九＝9、それを断つという意味。つまり真ん中

タンヤオというのは、数牌の1,9と字牌を使わない手のことだ。
なぜかは知らんが、1,9牌と字牌は仲間で、それを使わない役とか、それだけ使う役とか、いろいろある。
真ん中だけ使うタンヤオは、すごく便利だから、これを使いこなすことは大事だぞ。

出現率は22%。
難易度★☆☆☆☆だな。

1ハン役

タンヤオの自由さ

①チー・ポン・カンしてよし！
②シュンツもコーツもよし！
③待ちの形もなんでもよし！
④ 19 字牌以外ならオールOK!

タンヤオというのは、それだけで高くなる役というよりも、1ハン縛りをクリアするための役だ。
これがあるから、ドラがいっぱいあるときも楽にあがれたりする。鳴いてもOKだから、ほんと便利だ。
「クイタンなし」といって、タンヤオは鳴いたら消えるってルールもあるけどな。

ククク…、
こーいうのは興味ねぇな。

麻雀用語メモ

1ハン縛り▼
最低1つは役がないとアガれないというルール

鳴かずに、最後まで自分のツモでアガる役 ≫ メンゼンチンツモ(通称▶ツモ)

門前清自摸

役レベル
1ハン
鳴き
なし

手牌の形は関係なし。

他の人からポンやチーしてないことをメンゼンといい、メンゼンのままツモあがりすると、「ツモ」という役になるんだ。
これは狙って作る役というよりも、他の役を狙っているときに、結果として複合することが多いな。

「ツモ」というのは、自分の番になったときに山から持ってくる行為のことでもあるし、その結果アガったときの役の名前でもある。まぎらわしいから勘違いするなよ。

出現率は18%。
難易度★☆☆☆☆だな。

まじめにやっていたら、できそうな役だ。

麻雀用語メモ

メンゼン▼
鳴いてない状態のこと

ツモ▼
自分の番になったら、山からパイを持ってくる行為。ただし、ここではツモだけでアガった役のこと

1ハン役

同じ並びを2つ作る役

≫ イーペーコー（通称▶イーペー）

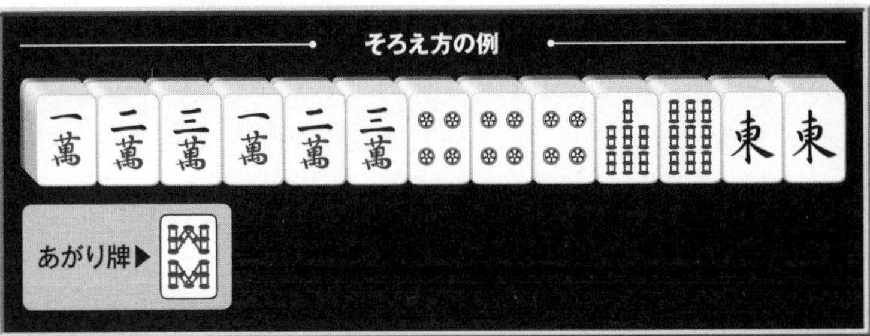

治
同じ連番が2つって、なんかかわいい役だね。
ざわ…

麻雀用語メモ

シュンツ▼
345みたいな連番のこと⇔コーツ

カンしてリンシャン牌でツモる役　≫リャンシャンカイホウ（通称▶リンシャン）

嶺上開花

役レベル	鳴き
1ハン	あり

手牌の形は関係なし。

カンしたときに、王牌（ワンパイ）から持ってくる牌をリンシャン牌というんだが、それであがりになったら、リャンシャンカイホウという役になるんだ。

まー偶然だからな、ガキが無理に狙おうとするなよ。

出現率は0.28%。
難易度★★★★☆だな。

ククク…、
好調なときにできそうな役だな。

麻雀用語メモ

王牌（ワンパイ）▼
ドラがめくられている山のこと、最後まで使わずに残される14枚

リンシャン牌▼
カンして王牌から持ってくる牌のこと

1ハン役

最後のツモ牌でアガる役

≫ ハイテイモーユエ（通称▶ハイテイツモ）

海底摸月

どんなそろえ方でもOK。
手牌の形は関係なし。

最後のツモ牌をハイテイ牌といって、それであがったらハイテイという役になるんだ。ハイテイ牌をツモれるのは一人だけだから、一人しかチャンスはないぞ。

これも偶然だからな、こんなもんで楽に稼ごうとは考えず、真面目に役を作れよ。

出現率は0.44%。
難易度★★★★☆だな。

アカギ
ざわ‥

地獄の砂は魔法の砂って感じか。

麻雀用語メモ

ハイテイ▼
一番最後のツモ牌のこと

最後に切られた牌でアガる役

≫ ホーテイラオユイ（通称▶ハイテイロン）

河底撈魚

役レベル
1ハン
鳴き
あり

手牌の形は関係なし。

最後のツモ牌をハイテイ牌というわけだが、それでアガれなかったら１枚切ることになる。それで振り込んだら、ホーテイという役になるんだ。
これで振り込むとダメージでかいから、自分にハイテイ牌が回ってくるときは、切る牌に注意しろよ。

これは相手が振り込んでくれたときに成立する役だから、自分から狙えるもんじゃない。ホーテイで振り込ませようなんて馬鹿なことは考えるなよ。

出現率は0.46%。
難易度★★★★☆だな。

これで裸単騎に振り込ませたら気持ち良さそうだな、ククク…。

麻雀用語メモ

ホーテイ▼
最後のツモ牌は、持ってくるときはハイテイ牌だが、捨てる牌は名前が変わってホーテイ牌という

1ハン役

他人が明カンした牌でアガる役 ≫ チャンカン

搶槓

役レベル 1ハン
鳴き あり

**どんなそろえ方でもOK。
手牌の形は関係なし。**

ポンしてる牌の4枚目を持ってきたときは追加のカンをできるだろ(明カン)。それが他人のあがり牌だったときは、チャンカンという役になって振り込みになる。たとえばピンフのテンパイだったら、ピンフ・チャンカンの2役になる。手の内に3枚ある牌の4枚目を引いてカンしたとき(暗カン)は、あがれないから、ごちゃ混ぜにするなよ。

これは超レアな偶然役だ。覚えておく必要すらないぞ。

出現率は0.044%。難易度★★★★★だな。

アカギ ざわ…

超レアな偶然役か。おもしろい。渡ってみせよう、その綱。

麻雀用語メモ
チャンカン▼
「カンを奪う」という意味の役

リーチしてから1巡以内にあがる役 ≫ イッパツ

一発

どんなそろえ方でもOK。手牌の形は関係なし。

リーチをかけたとき、1巡以内にあがれたら一発という役になる。リーチの次のツモであがったら、「リーチ」と「一発」と「ツモ」が全部ついて、それだけで3ハンだ。これはけっこう威力あるぞ。ただな、ポンやチーをされると、一発の権利は消えちゃうんだ。なので、リーチ直後にわざと鳴くことを一発消しというな。

これは、やられたほうは心に響く役なんだよな。値段以上にダメージをくう。

出現率は10%。難易度★☆☆☆☆だな。

ククク…、イカサマしやすそうな役だな。

麻雀用語メモ

リーチ▼
麻雀で一番基本的な役。鳴かずにテンパイして、「リーチ」と発声して宣言する

2ハン役

同じ数字の並びを3種類作った役 》》サンショクドウジュン(通称▶サンショク)

三色同順

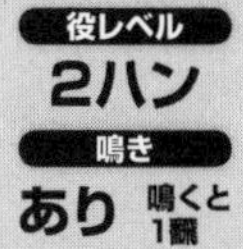

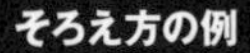

あがり牌▶

マンズ、ピンズ、ソーズの3種類で、同じ連番のシュンツを作る役だ。上の例を見るとわかるよな? 手を高くするのにも使えるし、鳴いて早アガリするのにも使える。なかなか便利な役だから、強いやつはこいつの使い方がうまいな。

これはピンフやタンヤオと絡めていくと高くなる。ドラもあれば、ハネマン、倍マン級のあがりも夢じゃないぜ。

出現率は3.5%。
難易度★★☆☆☆だな。

ククク…、
小手先の器用なやつが作りそうな役だな。

麻雀用語メモ

シュンツ▼
345 みたいな連番のこと

三色同順▼
「三つの色が同じ順」という名前の通りの役

数牌を1～9までそろえた役

≫ イッキツウカン（通称▶イッツー）

一気通貫

役レベル
2ハン
鳴き
あり 鳴くと1翻

同じ種類の123、456、789をそろえた役だ。ただな、11　234　456　789みたいに、ズレてると駄目だから、それは注意してくれよ。

これはな、ホンイツやチンイツに絡めたり、ピンフやリーチに絡めると高くなる。一撃必殺も可能になるな。

出現率は1.8%。
難易度★★★☆☆だな。

治

ざわ‥

豪華な感じがする役だねー。
できたときは達成感がありそう。

麻雀用語メモ

一気通貫▼
「一気に通って貫く」という名前の通りの役

2ハン役

全部に19牌と字牌が絡む役

>>> ホンチャンタヤオチュー（通称▶チャンタ）

混全帯么九

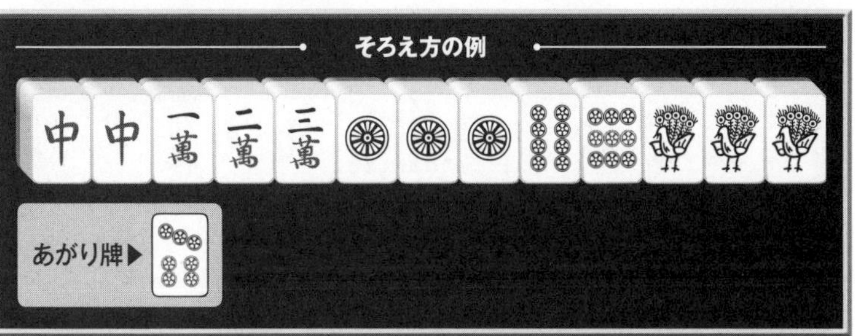

全部に端っこが絡んでいる役だ。上の例を見てみろ。頭にもメンツにも、字牌か19牌が絡んでるだろ。こーゆーのがチャンタだ。

これは鳴くと安くなっちゃうから、字牌、三色、イーペーコーなどを絡めながら鳴かずにアガれたら、大きくなる。

出現率は1.1%。
難易度★★★☆☆だな。

ふーん、端っこだけの役か。
ククク…、俺たちみたいだな。

麻雀用語メモ

チャンタ▼
端っこばかり集める役。数字の1や9と字牌は、端っこ仲間なのだ

コーツばかり作った役

》トイトイホー（通称▶トイトイ）

対々和

役レベル
2ハン
鳴き
あり

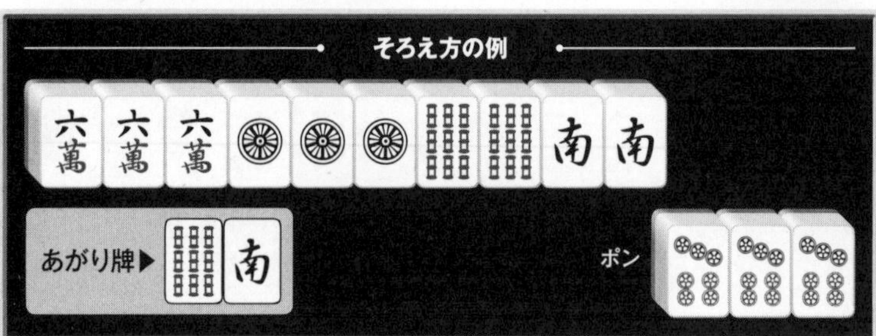

コーツ（3枚同じもの）ばかりそろえる役だ。ドンジャラみたいでわかりやすいだろ。鳴いても安くならないし、延長上には役満の四暗刻がある。

初心者はこればかり狙っちゃったりするけど、字牌やドラを絡めないと安いし、同じ牌しかなくて守備が破綻しやすいから、無理に狙いすぎるなよ。

出現率は2.0%。
難易度★★★☆☆だな。

これはわかりやすいね。
こればかり狙っちゃいそう。

麻雀用語メモ

役満▼
一番高いリミットの役。10個ほどある

コーツ▼
中中中みたいに同じ牌を3枚集めたもの

2ハン役

トイツを7つ作る役

≫ チートイツ(通称▶チートイ／ニコニコ)

七対子

そろえ方の例

トイツばかり7つ作る役だ。わかりやすいだろ? 2個ずつ集めるからニコニコとも呼ばれれる。最後はかならずタンキ待ちになるから、予想外の待ちにしやすいメリットもあるな。

こいつの欠点は、テンパイするのが難しいことと、他の役と複合させにくいことだな。ドラがあるとグッとパワーアップして高くなるから、ドラを使い切るのがコツだ。

出現率は2.6%。
難易度★★★☆☆だな。

これもわかりやすいな。ニコニコって名前もかわいいし。

麻雀用語メモ

トイツ▼
發發みたいに同じ牌を2枚集めたやつ

》》 ホンロウトウ（通称▶ホンロウ）

混老頭

役レベル	鳴き
2ハン	あり 実質4飜

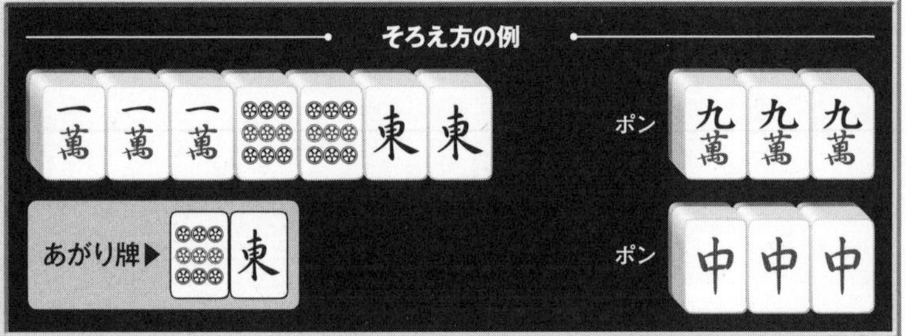

19牌と字牌だけのトイトイだ。かならずトイトイも複合するから4ハン以上になる。ようするにチャンタ・トイトイなんだが、作るのが難しいから、鳴いてもチャンタより1ハン高くなる。チャンタとは複合しないぞ。

狙って作るのは難しいが、最初から材料があるときは、あっという間にできてしまうこともあるな。手の内に持ってる材料しだいだな。

出現率は0.032%。難易度★★★★★だな。

治

なんか年寄りくさい名前の役だねー。

ざわ…

麻雀用語メモ

混老頭▼
「老」とは19牌のこと。それに字牌が「混」ざるから「混老頭」

2ハン役

アンコを3つ作る役

≫ サンアンコー

三暗刻

役レベル
2ハン
鳴き
あり

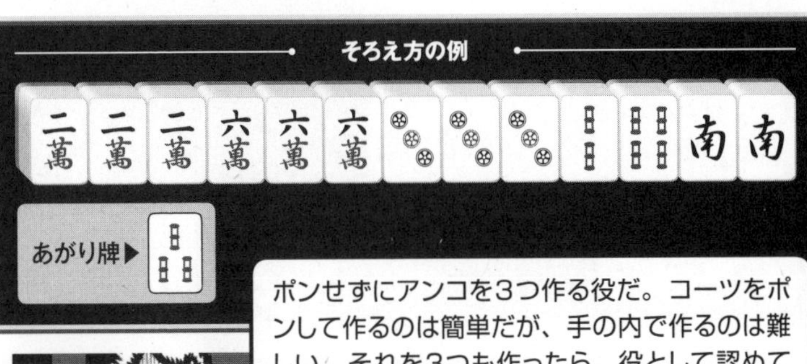

ポンせずにアンコを3つ作る役だ。コーツをポンして作るのは簡単だが、手の内で作るのは難しい。それを3つも作ったら、役として認めてあげましょうってことだ。

こんな手でリーチしたとき、二萬か六萬をツモれば三暗刻だが、二萬か六萬が出てあがったときは、アンコとは認められず、三暗刻にはならない。こういうのはツモり三暗刻といって、ツモったときだけ三暗刻になる。

出現率は0.65%。
難易度★★★★☆だな。

引きが強くないと無理な役なのか。そういうのは無理そう…。

麻雀用語メモ

コーツ▼
同じ牌を3枚集めたもの

アンコ▼
鳴かずに作ったコーツ⇔ミンコ

同じ数字のコーツを3種類作る役　≫ サンショクドーコー（通称▶サンショクドウポン）

三色同刻

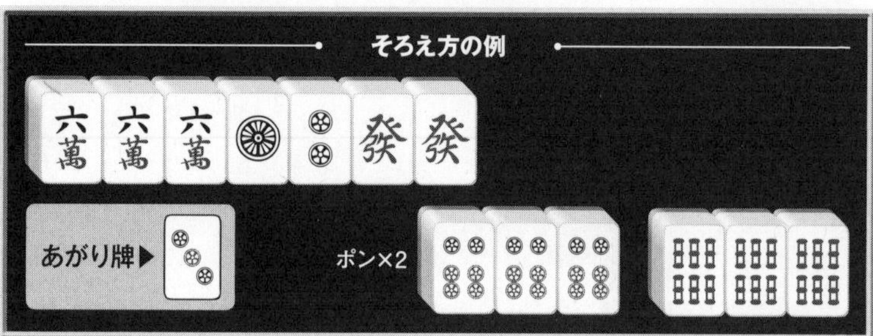

数牌の同じ数字を3つコーツにする役だ。上の例では、[六萬]と[6筒]と[6索]をコーツにしてるだろ。

これは出現率を見るとわかるように、役満級の難易度だ。難しいわりに値段も高くないから、自然にできちゃうとき以外は狙わないほうがいいな。

出現率は0.045%。
難易度★★★★★だな。

同じ数字を2つポンすれば相手は警戒するから、コントロールに利用できそうだな。

麻雀用語メモ

コーツ▼
同じ牌を３枚集めたもの

三色同刻▼
「三つの色の同じ刻子（コーツ）」という意味の役

2ハン役

カンを3つ作る役 ≫ サンカンツ

三槓子

役レベル **2ハン**
鳴き **あり**

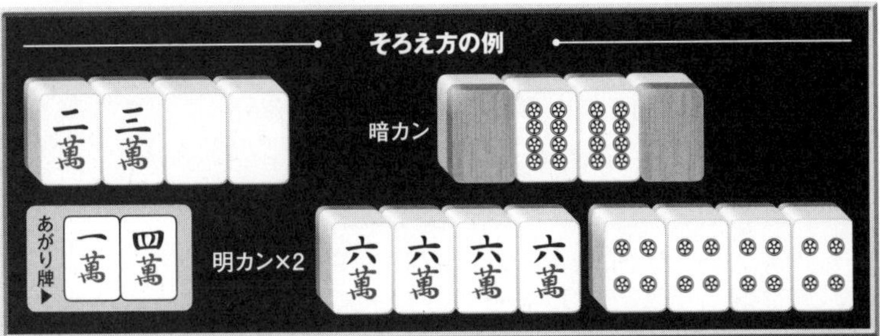

竜崎：暗カンでも明カンでもいいから、3つカンする役だ。これはおそろしく難しい。無理に狙うんじゃないぞ。

ざわ…

矢木：カンするたびにドラが増えるから、自分に三槓子ができたときは、他の人たちの手も馬鹿高くなる。危険と隣あわせの役だってことを忘れるなよ。

平山：出現率は0.0027%。難易度★★★★★だな。

アカギ：ククク…、手の内に4枚目を隠し持っておけば、こちらの意図を見せずに手を進められそうだな。

暗カン▼
もともと3枚持ってた牌の4枚目を引いてするカン

明カン▼
ポンした牌の4枚目を引いてするカン、あるいは、もともと3枚持ってたところに4枚目が出たのでするカン

1巡目にかけるリーチ

≫ダブルリーチ(通称▶ダブリー)

ダブル立直

役レベル
2ハン
鳴き
なし

どんなそろえ方でもOK。手牌の形は関係なし。

1巡目にリーチをかけると、プレミアがついて2ハンになる。それをダブルリーチというんだ。ただし、誰かが鳴いてると、その権利はなくなる。ポンチーカンが入ってない1巡目だけかけられる。これは狙ってできるもんじゃないから、運だけだな。

子どもが配牌を取ったときにテンパイしていたら、第1ツモでツモったら地和の役満となり、ツモれなかったら、そのままダブルリーチをかけられる。お得だよな。

出現率は0.19%。
難易度★★★★☆だな。

1巡目にリーチなんて、ぼくには無理そうだ…。

麻雀用語メモ

テンパイ▼
あと1枚くればあがりになる状態

役満▼
一番高いリミットの役。10個ほどある

2ハン役

三元牌で2メンツ＋頭を作る役 ≫ ショウサンゲン

小三元

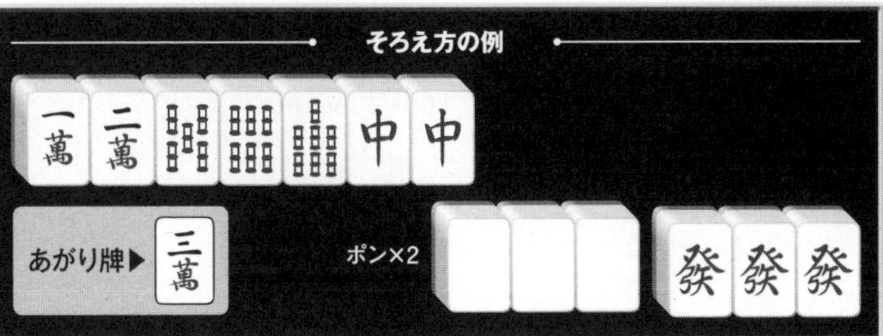

□發中(三元牌)の2種類をコーツにして、1種類をトイツにする役だ。小三元で2ハン、三元牌2つで2ハンつくから、実質4ハンだ。最低でもマンガンになるな。

3つともコーツにすると、グッと高くなって大三元の役満になる。三元牌を2つポンすると警戒されるから、最後の1枚が難しいんだな。

出現率は0.11%。
難易度★★★★☆だな。

麻雀用語メモ

三元牌▼
□發中のこと

これは誰かに三元牌が集まりそうだって予感するセンスが大事そうだな、ククク…。

自分の手を見せてしまうリーチ　≫ オープンリーチ

オープンリーチ

役レベル
2ハン
鳴き
なし

どんなそろえ方でもOK。
手牌の形は関係なし。

リーチするときに「オープン」といって手牌を開いてしまうと、オープンリーチといって2ハンになる。ロンアガリの可能性はなくなるから、結果としてツモもついて高くなる。
まあ非常手段だな。

オープンリーチは正式な役としては認められないことも多い。振り込んでしまったら役満というルールも一部にあるし、またオープンするとき、待ちの部分だけ見せればいいというルールもある。そんな感じで統一されてない部分が多いんだ。

出現率は不明。
難易度？だな。

普通は見えないものをあえて見せることで、情報戦という見地から見たら相手をコントロールできそうだな。

麻雀用語メモ

正式な役▼
オープンリーチ、流しマンガン、人和の3つは、役として認められていないことも多い

1学期 麻雀のきほん
2学期 手役をおぼえる
3学期 点数計算のしくみ
補習

3ハン役

数牌1種類と字牌しか使わない役 ≫ ホンイーソー（通称▶ホンイツ）

混一色

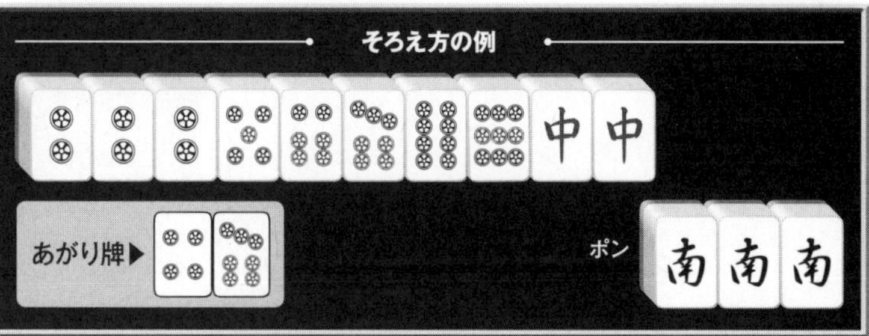

1種類の数牌と字牌しか使わない役だ。鳴いても2ハンあるし、字牌が絡みやすいから、けっこう威力がある。そのわりにできやすい。

クズ手をうまくホンイツにまとめる打ち手は強い。これはかなり使える役だ。

出現率は5.1%。
難易度★★☆☆☆だな。

きたぜ…
ぬるりと…！

麻雀用語メモ

字牌▼
漢字1文字だけ書いてある牌。
□發中東南西北の7種類

すべてのメンツと頭に19牌が絡む役 ≫ ジュンチャンタヤオチュー（通称▶ジュンチャン）

純全帯么九

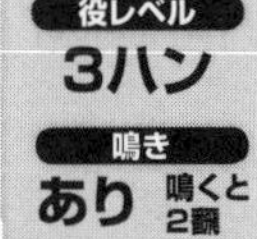

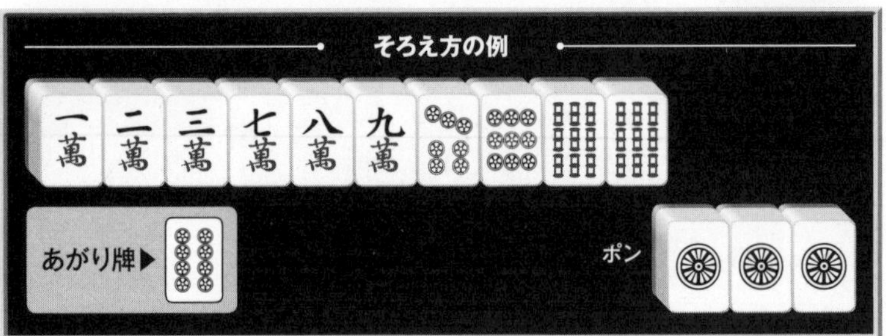

すべてのメンツと頭に19牌が絡む役だ。
両面待ちになりにくいし、[七萬][八萬]みたいな両面待ちになったときは、[六萬]ではジュンチャンにならない。

鳴くと破壊力不足になりやすいし、鳴かないで作るのは難しい。なかなか威力はあるけど、活用するのが難しい役だな。

出現率は0.28%。
難易度★★★★☆だな。

ふーん。この役がうまく作れるかどうかに腕が表れるのか…。

麻雀用語メモ

メンツ▼
3枚1組のセット

両面待ち▼
[七萬][八萬]みたいに、3つ離れた2つの数字でアガれる待ち

3ハン役

イーペーコーを2つ作る役

》》》リャンペーコー（通称▶リャンペー）

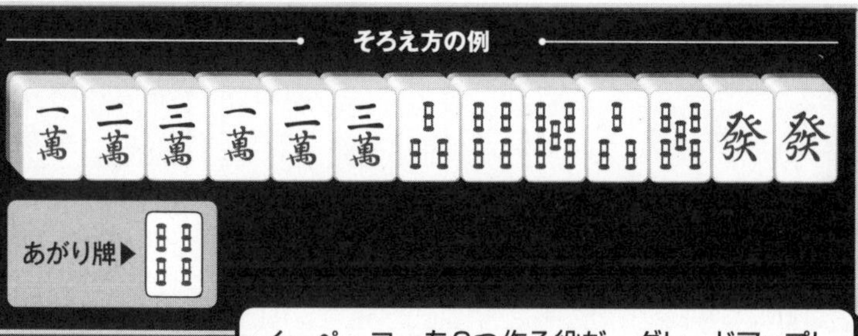

イーペーコーを2つ作る役だ。グレードアップして3ハンになる。
ただし、鳴くとゼロになっちゃうから、そこが難しい。

リャンペーコーのテンパイは、かならずチートイに切り替えられる。場合によっては、そっちのほうが有利なこともあるから、そこらへんは臨機応変にやることだな。

出現率は0.053%。
難易度★★★★★だな。

これはなんか見た目が華麗っぽいね。難しそうだけど。

麻雀用語メモ

イーペーコー▼
同じシュンツ（連番）を2つ作る役

1種類の数牌しか使わない役

≫ チンイーソー(通称▶チンイツ)

清一色

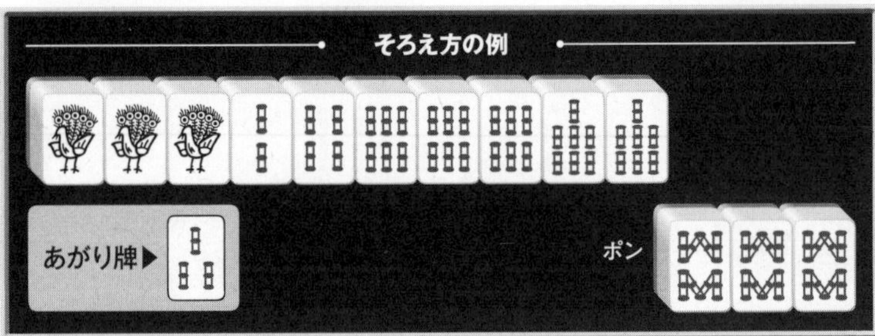

1種類の数牌しか使わない役だ。見た目も華麗だし、値段も高い。ただ、狙いが捨牌に出てしまうから、警戒されてしまう欠点もある。

鳴かずにできたときは多面待ちになりやすい。たとえば、これは何待ちかわかるか?

一萬一萬一萬二萬三萬三萬四萬伍萬六萬七萬八萬八萬八萬

答えは一萬二萬三萬四萬伍萬八萬待ちだ。多面待ちは有利だが、チョンボしやすいから練習しておけよ。

出現率は0.28%。
難易度★★★★☆だな。

麻雀用語メモ

多面待ち▼
一般には、3種類以上の待ち牌があるテンパイ形のこと

4ハン以上の役

捨牌に19牌と字牌しか捨てない役 ≫ ながしまんがん

流し満貫

役レベル
マンガン
鳴き
なし

**捨牌で作る役なので、
手牌の形は関係なし。**

捨牌が最後まで19牌と字牌しかないときは、流しマンガンという役になる。
ただし、自分の捨牌を1枚でもポンされちゃうと無効だ。

これは捨牌で作るという異端の役で、正式な役としては認められないことも多い。ハネマンや倍マンにするルールもあるから、最初に確認しておいたほうがいいな。

出現率は不明。
難易度？だな。

捨牌で作る役なんてあるんだ…。変な役だねぇ。

麻雀用語メモ

ハネマン▼
役とドラをあわせて6～7ハンあったら、ハネマンとなってマンガンの5割増しの点数になる

倍満▼
役とドラをあわせて8～10ハンあったら、倍マンとなってマンガンの2倍の点数になる

自分のツモがくる前にアガる役　》レンホー

人和

手牌の形は関係なし。

1巡目に自分のツモがくる前にロンあがりすると、人和といってマンガンになる。他に役があれば、それも複合するな。

正式な役としては認められないことも多い。マンガンではなく、倍満というルールもある。最初に確認しておけよ。

出現率は？%。
難易度？だな。

最初からテンパってたときだけチャンスがある役か。むずいな…。

麻雀用語メモ

マンガン▼
子なら8000点、
親なら1万2000点

役満

三元牌を3枚ずつ集めた役 ≫ダイサンゲン

大三元

役レベル
役満
鳴き
あり

そろえ方の例

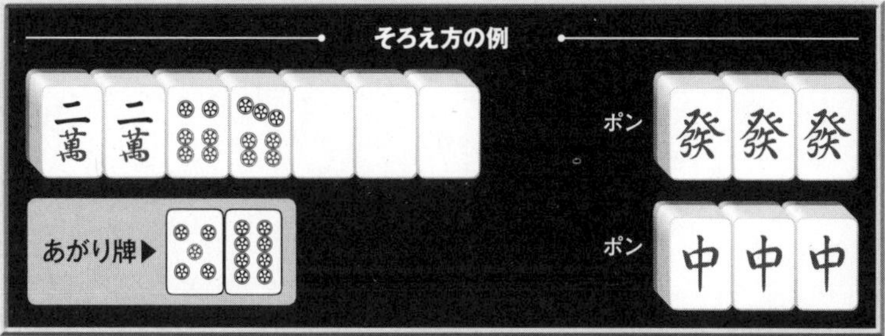

（三元牌）を3枚ずつ集める役だ。どれか1つが2枚だと、小三元になってグッと安くなる。その1枚が難しいんだな。

役満の中では比較的できやすい。でもな、2つポンすると警戒されちゃうから、見た目ほど簡単じゃねーぞ。

出現率は0.039%。
難易度★★★★★だな。

アカギ
ざわ…

ククク…、
ルールなんて知らなくても
作れそうだな。

麻雀用語メモ

三元牌▼
のこと

1つも鳴かなかったトイトイ

>>> スーアンコ(通称▶スーアン)

四暗刻

役レベル
役満
鳴き
なし

そろえ方の例

あがり牌▶
ツモれば四暗刻、
ロンしたらトイトイ三暗刻

コーツを4組とも鳴かずにそろえたあがりだ。ようするに鳴かずに作ったトイトイだな。
これは一見簡単そうに見えるが、やっぱ役満だけあってそう簡単じゃない。とくにな、テンパってから、ツモるのが難しい。

ただし、暗刻が4つできて頭待ちになったときは、ロンアガリしても、暗刻4つはできてるわけだから役満になる。このときは、四暗刻単騎といってダブル役満にするルールもある。

麻雀用語メモ

コーツ▼
同じ牌を3枚集めたもの

ダブル役満▼
役満の中でもとくに難しいものは通常の役満の2倍の点数がもらえる

出現率は0.049%。
難易度★★★★★だな。

ククク…、役満であがりたかったら、オープンリーチしちゃえばいーだろ。

役満

字牌しか使わない役

≫ ツーイーソー

字一色

役レベル
役満
鳴き
あり

そろえ方の例

東 東 東 北 北 中 中　ポン 南 南 南

あがり牌▶ 北 中　ポン (白 白 白)

全部字牌だけであがると、字一色といって役満になる。といってもな、字牌は7種類しかないから、それだけであがるのはかなり難しい。

字牌は最初に捨てられちゃうから、テンパイしたころには、あがり牌が残ってないこともある。そこらへんも字一色の難しさだな。

出現率は0.008%。
難易度★★★★★だな。

アカギ
ざわ…

どうせ字牌だけにしちゃうなら、大三元も一緒に作っちまったほうが効率良さそうだな。ククク…。

麻雀用語メモ

字牌▼
漢字1文字しか書かれていない牌。全部で7種類ある

緑色の牌しか使わない役

≫リューイーソー

緑一色

役レベル
役満
鳴き
あり

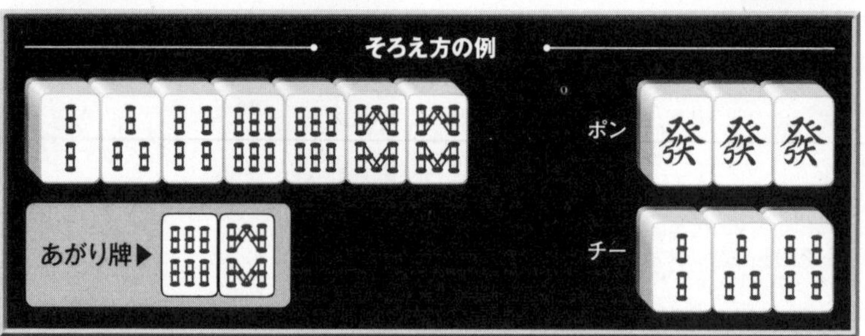

ソーズの2、3、4、6、8と發しか使わないであがったら、この6種類は緑色しか使われてない牌だから、緑一色という役になるんだ。ソーズの1、5、7、9を見てみると、赤い色が使われてるだろ。

昔は發が入ってないと認められないというルールもあったが、普通はOKだ。しかしな、普通に狙ってできる役じゃねーぞ。

出現率は0.0011%。
難易度★★★★★だな。

麻雀用語メモ

緑一色▼
緑一色はあっても、白一色、赤一色、黒一色などはない

ふーん、牌の模様に使われてる色をそろえるなんて、おもしろい役もあるもんなんだなー。

役満

19牌しか使わない役

≫ チンロートー

清老頭

役レベル
役満

鳴き
あり

そろえ方の例

一萬 一萬 一萬 九筒 九筒 九索 九索　ポン 九萬 九萬 九萬

あがり牌▶ 九筒 九索　ポン 一筒 一筒 一筒

数牌の1と9だけのトイトイだ。純チャンの延長上にありそうだが、そんな簡単なもんじゃねえ。まあ無理に狙わねーこったな。

19牌って6種類しかないから、タネ切れになるんだ。それがこの役を難しくしてるな。

出現率は0.0018%。
難易度★★★★★だな。

アカギ
ざわ…

ククク…、こーゆー役は狙いがすけちまうから、そこがうまくいかなそーだな。

麻雀用語メモ

トイトイ▼
コーツばかり作る役

チンイツで1と9を3枚ずつ、2〜8を1枚ずつ集めた役 ≫チューレンポウトウ

九蓮宝燈

役レベル
役満
鳴き
なし

これはかなり特殊な役だ。チンイツで1と9を3枚ずつ、2〜8を1枚ずつ集めたら、九蓮宝燈といって役満になるんだ。

理想のテンパイ状態は、こうなることだ。これは一萬から九萬までどれがきてもあがりになる不思議な形なんだな。これを純正九蓮宝燈といってダブル役満にすることもある。
一萬一萬一萬二萬三萬四萬伍萬六萬七萬八萬九萬九萬九萬
一萬〜九萬のどれがきてもあがれる。

出現率は0.0004%。難易度★★★★★だな。

あがったら死ぬとか…?

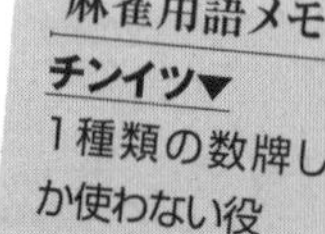

麻雀用語メモ

チンイツ▼
1種類の数牌しか使わない役

1学期 麻雀のきほん
2学期 手役をおぼえる
3学期 点数計算のしくみ
補習

役満

1,9牌と字牌を全部1枚ずつ集めた役 ≫ コクシムソウ（通称▶コクシ）

国士無双

役レベル 役満
鳴き なし

そろえ方の例

一萬 九萬    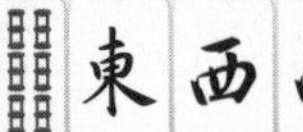 東 西 西 北  發 中

あがり牌▶ 南

マンズ・ピンズ・ソーズの19と字牌をあわせると、全部で13種類あるんだ。それを1枚ずつ全部集めて、頭ができたら国士無双という役満になる。

13種類が1枚ずつあって、どれがきても頭になってあがれるという状態のときは、それを国士無双13面待ちといって、ダブル役満にすることもある。まー、偶然できるもんじゃないけどな。

出現率は0.043%。難易度★★★★★だな。

これはバラバラだね。こんな役もあって、それが役満なんだ…。

麻雀用語メモ

ダブル役満▼
役満の中でもとくに難しいものは、通常の役満の2倍の点数がもらえる

親が最初からあがってる役　≫テンホウ

天和

役レベル
役満
鳴き
なし

手牌の形は関係なし。

親が最初からあがってたときは、天和といって役満になる。そんなことあるのか?と思ってしまうだろーが、一生に一度くらい起きるんだな。

これは運の極致だから、これを狙うってのはイカサマしかねーぞ。全自動卓ではイカサマも無理だが。

出現率は0.0004%。
難易度★★★★★だな。

全部すりかえちゃえば、むしろ一番簡単そうだな。ククク…。

麻雀用語メモ
全自動卓▼
機械じかけの麻雀卓

役満

子が最初のツモであがる役 ⋙ チーホウ

地和

役レベル **役満**
鳴き **なし**

手牌の形は関係なし。

子が最初のツモであがったら、地和といって役満になる。つまり、最初からいきなりテンパってるときだけ、チャンスがあるんだな。

これまた運の極致だから、これを狙うってのはイカサマしかねーぞ。そのうちできるといいな…くらいに思っておけ。

出現率は0.0011％。難易度★★★★★だな。

治
ざわ…

いきなりテンパイしてて、それを一発ツモか。一生に1回もあがれるの？

麻雀用語メモ

テンパイ▼
あと1枚くればアガれる状態

風牌を4種類とも使った役　　≫ スーシーホー

四喜和

役レベル
役満
鳴き
あり

そろえ方の例

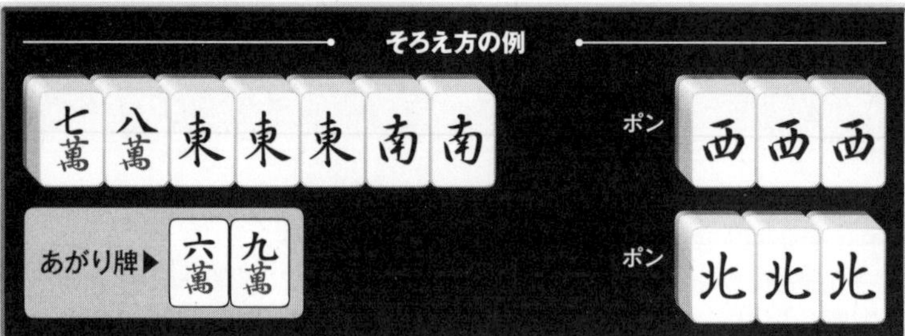

これは風牌を4種類とも集める役だ。1種類が頭になってると小四喜（ショウスーシー）。4種類ともコーツになってると大四喜（ダイスーシー）になる。見た目は派手だが、そのぶん難しいぞ。

大四喜（ダイスーシー）はダブル役満にするルールもあるな。たった1枚の違いでも、それくらい難しくなるってことだ。

出現率は0.012%。
難易度★★★★★だな。

麻雀用語メモ

風牌▼
東南西北のこと

ダブル役満▼
役満の中でもとくに難しいものは、通常の役満の2倍の点数がもらえる

役満

カンを4つ作る役 ≫スーカンツ

四槓子

役レベル
役満

鳴き
あり

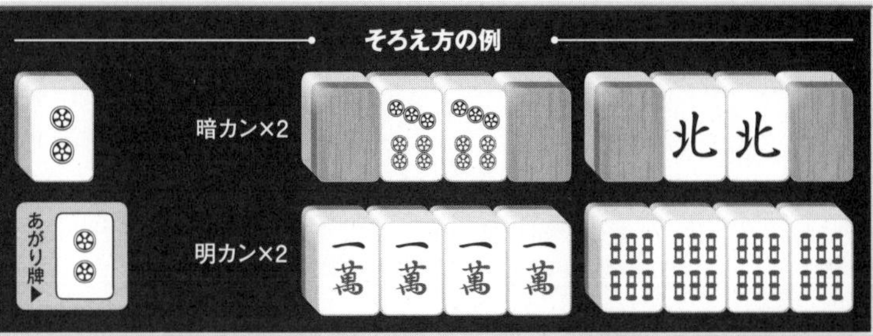

4つカンする役だ。暗カンでも明カンでもいい。4人あわせてカンが4つになったら、4カン流れといって流局になるんだが、1人で4つカンしたときだけ、例外として続行するんだな。そんな例外の中で狙える役満だ。
あまりにも難しすぎるので、4つカンした時点でアガリと認めるルールもある。それでも難しすぎるけどな。

出現率は0.0004%。難易度★★★★★だな。

この役は一生に1回できたらいいほうだ。無駄だから狙おうとするんじゃねーぞ。こんなもんより、相手の心を絡め取るのが一番だ。

4つカンしたら、相手は酸欠の金魚みたいに口をパクパクしそうだな、ククク…。

麻雀用語メモ

暗カン▼
もともと3枚持ってた牌の4枚目を引いてするカン

明カン▼
ポンした牌の4枚目を引いてするカン、あるいはもともと3枚持ってたところに4枚目が出たのでするカン

期末テスト

はっきりいって、かなり難しい問題です。役を完全に覚えてないとできないので、覚悟して挑戦してください。

【問1】 **この手の役はなんですか？**
(10点)

【問2】 **この手の役はなんですか？**
(10点)

【問3】 **つぎの役を安いほうから順番に並べてください。**
(10点) 天和　タンヤオ　チンイツ

【問4】 **つぎの役のうち、役満を全部答えてください。**
(10点) 地和　人和　流しマンガン　チャンカン　緑一色　清一色

【問5】 **リーチをかけられる条件はなんですか？**
(10点) **全部答えてください。**
⑴親である　⑵鳴いていない
⑶テンパイしている
⑷役が最低1つはできている

【問6】 できている役をすべて答えてください。
（10点）

ロン

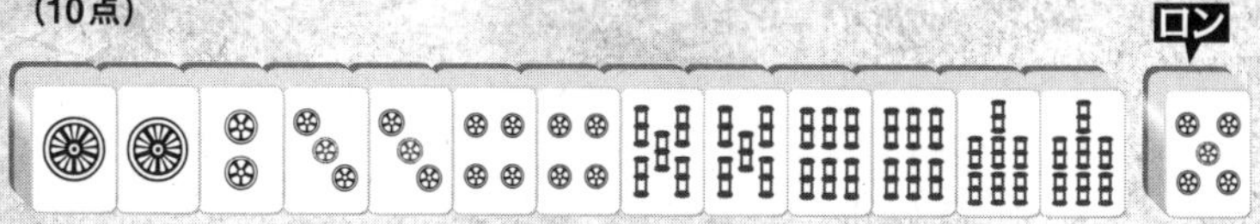

【問7】 できている役をすべて答えてください。
（10点）

三萬 三萬 三萬 伍萬 伍萬 六萬 七萬　ロン 伍萬

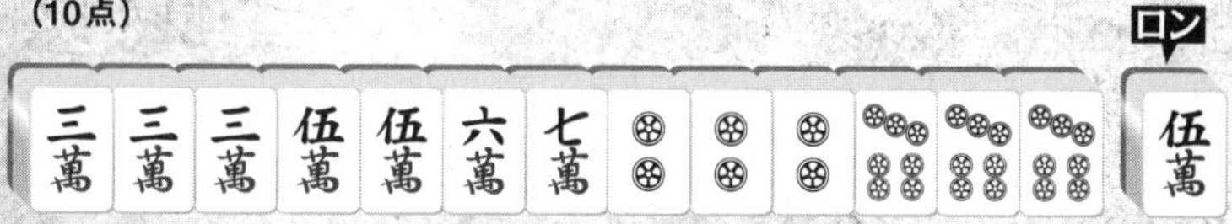

【問8】 できている役をすべて答えてください。
（10点）

二萬 二萬 三萬 三萬 三萬 四萬 四萬 四萬　ツモ 伍萬

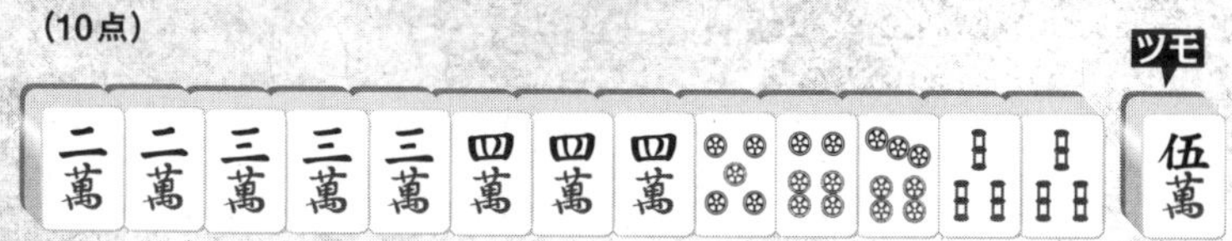

【問9】 役とハン数を答えてください。
（10点）

三萬 四萬 伍萬　チー　ロン　ドラ

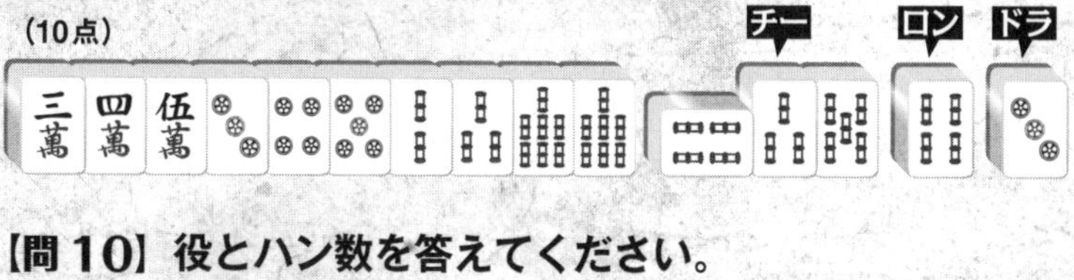

【問10】 役とハン数を答えてください。
（10点）

北 北　ポン 中 中 中　ポン　ロン　ドラ 東

期末テスト解答

【問 1】 混一色(ホンイツ)

漢字で書けなくてもOK。ホインツなど、少し違ったら－1点。別な役を書いたら0点。

【問 2】 タンヤオ 別な役を書いたら0点。

【問 3】 タンヤオ　チンイツ　天和

タンヤオ(1ハン)、チンイツ(6ハン)、天和(役満)の順。タンヤオ＝一番安いができたら5点。天和＝一番高いができたら5点。

【問 4】 地和・緑一色

1つ抜けていたら－4点。余計な役を答えているときも－4点。

【問 5】 (2)鳴いていない　(3)テンパイしている

どちらか一方が答えられたら5点。ただし(1)か(4)も選んでいたら0点。

【問 6】 ピンフ・イーペーコー

1つ抜けていたら－5点。余計な役を答えているときも－5点。

【問 7】 タンヤオ・三暗刻

1つ抜けていたら－5点。余計な役を答えているときも－5点。

【問 8】 タンヤオ・ピンフ・イーペーコー・ツモ

[二萬][二萬][三萬][三萬][四萬][四萬]＋[三萬][四萬]と分けて考えるのがポイント。1つ抜けがあるごとに－4点。余計な役を答えているときも－4点。

【問 9】 タンヤオ・三色・ドラ1　3ハン

ドラは役ではないので役の中に入れてもいいが、入れなくてもいい。タンヤオと三色が3点ずつ。余計な役を入れてたら－3点。ハン数が合ってたら4点。

【問 10】 トイトイ・ホンイツ・混老頭・[ ]・[中] 8ハン

役が1つ抜けているごとに－3点。

さて何点とれましたか？　役を完全に覚えてないとできない問題も多いので、60点以上なら合格です。50点以下だった人は、2学期を復習して、役を全部覚えてください。全部覚えてしまえば、鷲巣様のように精神的に優位に立てます。

アカギに学ぶ名シーン 2

▶勝負の合間に南郷先生と安岡先生によるルール講習。こうして見ると、赤木はまだあどけなさが残る中学生で、何か可愛いぐらいである。

◀しかしっ…！ そんな可愛かった赤木が、数時間後にはこうっ…！ 負けて諦めて帰ろうとしているヤクザをつかまえて「なにいってるの…？ まだだよ」と、金額を倍にして勝負しようと。完全にくたばるまで許さねーぞという姿勢。さすがの竜崎も冷や汗たらして絶句…。

入門の闘牌 アカギ

3学期 点数計算のしくみ

講師

市川

浦部

盲目ながら"鉄壁のガード"を誇る老雀士！アカギと「同類」の匂いを持つ凄腕！

市川

「安心」こそ毒…！

ABILITY GAUGE

雀力	★★★★★
技術	★★★★★
運	★★★☆☆
権力	★★★☆☆
カリスマ	★★★★☆

竜崎の組がメンツをかけて用意した最高レベルの裏プロ雀士。盲目ながら超一流の理論とイカサマ技を持つ。アカギが華麗な打ちまわしを見せる一方、黙々と地味に実をとる打ち方でアカギを追い詰めた。勝負の最中、アカギがある提案を飲ませるために、市川が盲目であることを突いたイカサマを仕掛けてきたのに対し、封印していたイカサマ技を繰り出して反撃！その技の凄さには、アカギも、サイコロの出目次第では負けもあると覚悟するほどだった。この二人の決戦は、後に〝伝説の夜〟として裏社会に語り継がれることになる——。

◀お互いの点棒を10分の1に削ろうというアカギの提案を断った市川。職人気質の本物のプロは、たとえそれが1%ぐらいのことでも、勝つ確率を下げる行為は絶対にしないのだ。

博打の快感

▶アカギを苦しめた市川だったが、最後は完璧なまでの合理主義を逆にアカギに突かれ、敗北した。

普通に打って普通に勝てばええんや。むしろそういう勝ちこそプロの味…

交渉力に長けた関西のワザ師"羊の皮を被ったバイニン"！

浦部

ABILITY GAUGE

雀力	★★★☆☆
技術	★★★☆☆
運	★★☆☆☆
権力	★★★☆☆
カリスマ	★★☆☆☆

関西弁の裏プロ。ニセアカギ戦では、凡庸でドン臭い打ち手を装い、最初はわざと負けて相手を油断させた。そして、負けが込んだことを理由にサシウマを倍にするよう懇願。さらに「お互いがトップからラスでなかった場合、同等の条件を引き継いで延長戦をする」という条件も飲ませた。その上で、わざと2着・3着になるように打ち回し「同等の条件とはサシウマも倍にするという意味。次はさらに倍だ」と因縁に近い主張をし、サシウマ倍々地獄に引きずり込んだ。と、ここまでは良かったが、アカギが登場して返り討ちにあってしまった。

◀平山との麻雀でわざと負けておき、レートアップを要求する浦部。困った顔をしているのも演技なのだ!!

▶真っ暗な部屋の中で「いつか赤木を殺す！」と叫び、悪態をつく浦部。だが、アカギが部屋に入ってきて、今から勝負しよう。オレが負けたらお前の負債を引き受ける。オレが勝てばお前の両手首から先をもらう、と言われてしまう。浦部は「え…？」としか言えなかった。

- ロンあがりの点数は、そのあがり牌を捨てた人が全額払う。
- ツモあがりの点数は、残りの３人が分けて支払う。
- 親がツモあがりしたら、子が３分の１ずつ払う。
- 子がツモあがりしたら、親が２分の１、子が４分の１、もう１人の子が４分の１を払う。

ロンとツモの違いは1学期に教わったはずや。
ロンあがりは、そのあがり牌を捨てた者が責任を取って全額を支払う。これはモノの道理やが、問題はツモあがりや。ツモあがりのときは、ツモられた3人で分けて支払う。そのときの分け方が、親と子で違ってくる。
親がツモった場合は、単純に三等分して支払えばええ。子がツモったら、あがり点の半分を親が支払い、残りをさらに二等分して子が支払うのがルールっちゅうもんや。
まぁ、そない言うてもお前ら、あがり点が何点かわからへんやろ。現時点ではとりあえず「ロンは全額負担」「ツモは分担」と覚えておけばええ。

ロンとツモの違い

ツモあがりだけを狙って綱渡り的な手作りをしてきた鷲巣様。そして本当にハネマンをツモあがりして、親のアカギから点棒6000点と血液600ccを奪うのだった。

麻雀用語メモ

マンガン▼
高い手の基準となるまずまずの手

ハネマン▼
マンガンの1.5倍の点数となる手

ふん、簡単じゃないか。鷲巣麻雀のルール説明じゃないんだから、それだけのことに2ページも使うなよ。

- マンガンは高い手の入り口。
- マンガンより安い手は複雑な点数計算が必要だが、マンガンより上は点数が決まっているので計算は必要ない。
- ハネマンはマンガンがはねたもの。倍マンはマンガンの倍の意味。3倍マンはマンガンの3倍の意味。
- マンガン＝ 8000 点が基準になるから、この数字は忘れないように。
- 極端に高い手を狙うよりも、着実にマンガンを狙っていくのが効率のいい打ち方。

2学期に役を教わったよな。ハン数を覚えているか？
役とドラのハン数を足して、それが4〜5ハンになったら、マンガンといって子で8000点になる。それより高い手は、マンガンを基準に、1.5倍になったり、2倍になったりする。
8000点が基準だから、この数字を覚えておけ。

子の高い手

子の高い手の点数

ハン数	ランク	点数	基準
4～5ハン	マンガン	8000点	これが基準
6～7ハン	ハネマン	1万2000点	マンガンの1.5倍
8～10ハン	倍マン	1万6000点	マンガンの2倍
11～12ハン	3倍マン	2万4000点	マンガンの3倍
指定された役	役満	3万2000点	マンガンの4倍

8000点を基準に、1.5倍、2倍、3倍、4倍か。
簡単じゃないか。簡単すぎる。

親の高い手の点数

ハン数	ランク	点数	基準
4～5ハン	マンガン	1万2000点	これが基準
6～7ハン	ハネマン	1万8000点	マンガンの1.5倍
8～10ハン	倍マン	2万4000点	マンガンの2倍
11～12ハン	3倍マン	3万6000点	マンガンの3倍
指定された役	役満	4万8000点	マンガンの4倍

ええか、親は子の1.5倍やから、親マンは子マンの1.5倍や。それと同じく、ハネマンはマンガンの1.5倍やろ。どっちも同等の条件をマンガンから引き継いでおるから、8000点の1.5倍で1万2000点や。結果、子のハネマンと親のマンガンは同じ点数や。点数計算には、こういう同等の条件がいくつかある。おどれらのやわな頭じゃ、そのいばらの道をすぐには通りきらん。だが、あきらめたらいかん。そこでひと粘りすれば、しだいにわかってくるもんや。

3学期 点数計算のしくみ

親の高い手

浦部のキーワード「同等の条件を引き継ぐ」が出たシーン。

麻雀用語メモ

数え役満▼
13ハン以上になったら、役満にするルールもある。事前に決めるか確認しよう

はぁ…、ひと粘りか。そんな高い手をあがれるか自信ないけど、覚えないわけにはいかないよな。高い手ができたとき、ごまかされちゃ困るし。

チートイツの点数

ハン数		子のあがり	親のあがり
2	ロン	1,600	2,400
	ツモ	-	-
3	ロン	3,200	4,800
	ツモ	子：800 ／親：1,600	1,600 ずつ
4	ロン	6,400	9,600
	ツモ	子：1,600 ／親：3,200	3,200 ずつ

※チートイツのツモアガリは最低でも 3 ハンになるため、2 ハンのツモアガリはない
※ 5 ハン以上は、通常の点数計算と同じ

おどれらにいきなりややこしい点数を教えても、覚えきらん。まずはちょっと暗記するだけですむ、チートイツからいこう。
チートイツは2ハン役やが、点数計算は特殊なんや。ええかっ、チートイツのみは子で1600点！　ズバリ、これだけ覚えれば十分っ…！こと足りるっ…！
あとは1ハン増すごとに倍や。チートイツ＋タンヤオなら3200点、チートイツ＋ドラ2なら6400点。そして＋3ハンはマンガンになり、＋4〜5ハンならハネマンとなる。

チートイツの点数

親のアカギにレンチャンされ、ピンチに陥っていた鷲巣だが、起死回生の配牌でチートイツテンパイ。チートイツはできやすい役ではないが、やけに早くできてしまうこともある。

麻雀用語メモ

チートイツ▼
トイツを7つ作ればいいという変則的な役。点数も変則的

平山「親は子の1.5倍か。表を比較してみると、たしかに1.5倍になってるな。」

ピンフのロンあがり

ピンフのロンあがりの点数

ハン数	子のあがり	親のあがり
1	1,000	1,500
2	2,000	2,900
3	3,900	5,800

※ 4 ハン以上は、通常の点数計算と同じ

さて、だんだん本格的な点数を…。
つぎはピンフだ。
まずはロンあがり。表の通り、ピンフのロンは1ハンで1000点。2ハンは倍の2000点だが、3ハンになると3900点になる。
親の場合は子の1.5倍の1500点から始まるが、2ハンは倍より微妙に少ない2900点。しかし3ハンは倍の5800点だ。

あちこち100点たりなくてスッキリしないけど、つべこべ言っても始まらないですね。

ピンフのツモあがり（子）

ピンフのツモあがり（子）の点数

ハン数	
2	子：400　親：700
3	子：700　親：1,300
4	子：1,300　親：2,600

※ 5 ハン以上は、通常の点数計算と同じ

そしてやっかいなのがこっちや。表を見てもらおうか。
400点、700点、1300点と3種類を覚えれば、あとはその組合せで点数が出るっちゅーわけや。複雑っぽく見えるが、案外簡単なことがわかるか？

なんか数学っぽくなってきた。電車の時刻表を見てるみたい……。

ピンフのツモあがり（親）

ピンフのツモあがり（親）の点数

ハン数	
2	700ずつ
3	1,300ずつ
4	2,600ずつ

※5ハン以上は、通常の点数計算と同じ

今度は親のツモあがり。子を覚えればこっちは簡単だ。子のツモあがりのときの親の支払いが、そっくりそのまま親のツモあがりの点数になっている。
ここで投げ出さずに、前の表とこの表を見比べてみることだ。理屈を一度理解してしまえば、記憶はあとからついてくる。

ふーん。ピンフはツモあがりのときだけ、4ハンでもマンガンにならないんだな。

積み場の支払い方

異様な連荘によって鷲巣の金をけずっていくアカギ。あがった手の点数に積み場の点数がプラスされている。

それからな、今までの話は手牌それ自体の点数だったが、それに積み場の点数がプラスされる。1本場でロンあがりなら、300点全額を振った者が1人で払う。ツモあがりなら3人が100点ずつ払えばええんや。

積み場は、親と子で同等の条件なんですね。

・マンガンより安く、ピンフでもチートイツでもないあがりについては、以下の手順で点数を計算する。

1 ▶あがりのハン数を合計する

2 ▶あがりにつく符を合計する

3 ▶合計した符の 1 の位を切り上げる

4 ▶点数表を見て、ハン数と符からあがり点を出す

・符を数えるのが、これまでにはなかった作業。これがめんどうで挫折しやすい。

ふふふ。上の説明に動揺しているようだが、安心しろ。点数計算ができなくても、麻雀が打てないというわけじゃない。それに点数計算は半分も覚えれば、ほとんどの手は点数がわかる。ここで不安を感じててもしょうがない。先に進もう。

点数計算の手順

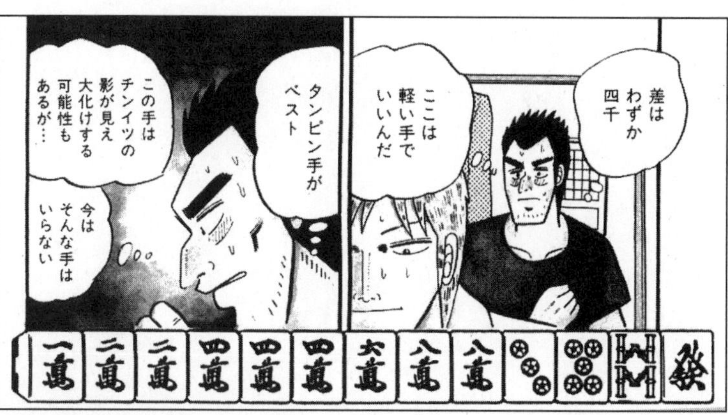

敵との点差に応じて手を作ることもあるので、
点数計算できると良い。

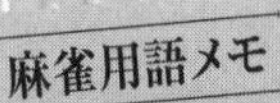

ハン数▼
役の数と考えてよい。符はまた別のもの

治

なんか、不穏な感じになってきましたね。

- どんなあがりにも 20 符の基本符がつく。
- メンゼンでロンしたときだけ基本符は 30 符になる。
- メンツにつく符は、カンが一番高くて、次はコーツ。それも暗カンとアンコは高くて、鳴くと半分になる。
- シュンツには符がつかない。
- 頭が役牌の場合は 2 符つく。

基本符が、なぜメンゼンでロンしたときだけ高いのかというと、ツモれば「ツモ」という役になるのに、ロンしたら何もつかないというのはかわいそうだから、基本符が10符プラスされるというわけだ。
それから、メンツにつく符だが、端の1・9牌と字牌は高く、タンヤオ牌は安いんだな。実戦でよく出てくる1・9・字牌のアンコ＝8符が基本だ。1・9・字牌をポンしたときやタンヤオ牌のアンコは、それを半分にした4符と思い出せばいい。

手牌構成につく符

メンツの種類	使う牌	具体例	つく符
暗カン	19字牌		32符
	真ん中の牌		16符
明カン	19字牌		16符
	真ん中の牌		8符
アンコ	19字牌		8符
	真ん中の牌		4符
ミンコ	19字牌		4符
	真ん中の牌		2符
トイツ	役牌		2符
	それ以外		0符
シュンツ	数牌		0符

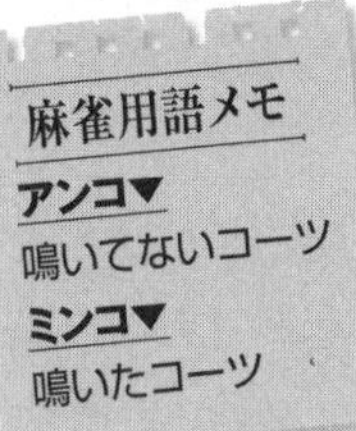

麻雀用語メモ

アンコ▼
鳴いてないコーツ

ミンコ▼
鳴いたコーツ

治「これ本当に、あがるたびにこんな計算するんですか？　めんどうくさくて、あがりたくなくなっちゃうんじゃ？」

- 手牌の符＝基本符＋メンツの符＋頭の符＋待ちの符＋ツモの符
- 頭の符とツモの符はつかないことが多いので、基本符＋メンツの符＋待ちの符がベースになる。
- ツモあがりしたときには、ツモの符が２符つく。
- 待ちの形につく符は、１種類しか待ち牌がない形につく。
- ただし、待ちがいっぱいあっても、その部分が符のつく形なら、符はつく。
- ２３４５の形は、２でも５でもあがれるが、形としてはタンキ待ちなので２符つく。

ここが最後の難所だ。待ちの形にいろいろ符がつく。複雑な形になったら、自分に有利なように、つまり符がつくほうを選んでいいという原則もある。
なんでこんなに複雑なのかというと、昔の麻雀は符を集めるゲームだったからだ。わしの若いころはそうだった。それが途中から役を作るゲームに変わったため、符×役の数という複雑な形になったわけだ。

待ちの形につく符

待ちの形	具体例	つく符
リャンメン	六萬 七萬	0 符
シャンポン	三萬 三萬	0 符
カンチャン		2 符
ペンチャン		2 符
タンキ	西	2 符

なるほど。じゃあ、とあってであがった場合も、カンチャンとして考え、2符つけていいんだな。

子の点数

		1ハン	2ハン	3ハン	4ハン	5ハン
ピンフ	ロン	1000	2000	3900	マンガン	
	ツモ	ー	400/700	700/1300	1300/2600	マンガン
チートイツ	ロン	ー	1600	3200	6400	
	ツモ	ー	ー	800/1600	1600/3200	
30符	ロン	1000	2000	3900		
	ツモ	300/500	500/1000	1000/2000		
40符	ロン	1300	2600	5200	マンガン	
	ツモ	400/700	700/1300	1300/2600		
50符	ロン	1600	3200	6400		
	ツモ	400/800	800/1600	1600/3200		
60符	ロン	2000	3900			
	ツモ	500/1000	1000/2000			
70符	ロン	2300	4500			
	ツモ	600/1200	1200/2300	マンガン		
80符	ロン	2600	5200			
	ツモ	700/1300	1300/2600			
90符	ロン	2900	5800			
	ツモ	800/1500	1500/2900			

マンガン以上の点数（子）

ハン数	4～5	6～7	8～10	11～	役満
ロン	8000	12000	16000	24000	32000
ツモ	2000/4000	3000/6000	4000/8000	6000/12000	8000/16000

※ツモあがりの点数は、左が子、右が親の支払い

点数計算早見表

親の点数

		1ハン	2ハン	3ハン	4ハン	5ハン
ピンフ	ロン	1500	2900	5800	マンガン	マンガン
	ツモ	ー	700	1300	2600	
チートイツ	ロン	ー	2400	4800	9600	
	ツモ	ー	ー	1600	3200	
30符	ロン	1500	2900	5800	マンガン	
	ツモ	500	1000	2000		
40符	ロン	2000	3900	7700		
	ツモ	700	1300	2600		
50符	ロン	2400	4800	9600		
	ツモ	800	1600	3200		
60符	ロン	2900	5800	マンガン		
	ツモ	1000	2000			
70符	ロン	3400	6800			
	ツモ	1200	2300			
80符	ロン	3900	7700			
	ツモ	1300	2600			
90符	ロン	4400	8700			
	ツモ	1500	2900			

マンガン以上の点数(親)

ハン数	4～5	6～7	8～10	11～	役満
ロン	12000	18000	24000	36000	48000
ツモ	4000	6000	8000	12000	16000

※ツモあがりの点数は、子1人あたりの支払い分。

30符を覚えるコツ

30符の点数表

ハン数		子のあがり	親のあがり
1	ロン	1,000	1,500
	ツモ	子：300／親：500	500ずつ
2	ロン	2,000	2,900
	ツモ	子：500／親：1,000	1,000ずつ
3	ロン	3,900	5,800
	ツモ	子：1,000／親：2,000	2,000ずつ

この手は何点？（子）

ロン 

ドラ 

→ピンフなので30符。タンヤオ・ピンフ・ドラ1で3ハン。子の30符3ハンなので、3900点。

まずは30符と40符だけでも覚えればだいたい大丈夫やから、わしが30符の効率的な覚え方を教えたろうやないか。ほれ、上の30符の点数表を見て、何か気づかんか。ピンフのロンあがりと同じやろ。30符はピンフのロンと同等の条件ちゅーわけや。どちらか一方を覚えたら、それですむで。

同等の条件だ？　ふざけるな！　そんなもの俺は認めんぞ！　冗談も休み休み言え！

40符を覚えるコツ

40符の点数表

ハン数		子のあがり	親のあがり
1	ロン	1,300	2,000
	ツモ	子：400 ／親：700	700ずつ
2	ロン	2,600	3,900
	ツモ	子：700 ／親：1,300	1,300ずつ
3	ロン	5,200	7,700
	ツモ	子：1,300 ／親：2,600	2,600ずつ

この手は何点?（子） ロン ドラ 

→ピンフじゃないメンゼンの手は40符。タンヤオで1ハン。子の40符1ハンなので、1300点。

つぎに40符や。この表を見ればもう分かるやろ。これはピンフツモの点数と一緒や。そやから、30符と40符は、あらためて覚える必要ないんやで。

なんか新しいことが出てこなくなって、少し楽になってきた。もしかすると点数計算できるようになるかも。

50符を覚えるコツ

50符の点数表

ハン数		子のあがり	親のあがり
1	ロン	1,600	2,400
	ツモ	子：400 ／親：800	800ずつ
2	ロン	3,200	4,800
	ツモ	子：800 ／親：1,600	1,600ずつ
3	ロン	6,400	9,600
	ツモ	子：1,600 ／親：3,200	3,200ずつ

一萬 一萬 伍萬 七萬 中 中 中

この手は何点？（親）

カン 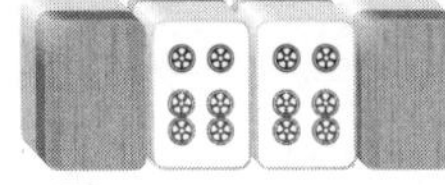 ツモ 六萬 ドラ 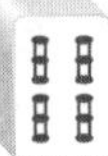

→基本符20符＋中アンコで8符＋アンカンで16符＋カンチャンで2符＋ツモで2符＝48符、切り上げて50符。中・ツモ・ドラ1で、親の50符3ハンは3200ずつ。

まだあるで。カンなどによって、たまに50符になるケースもあるが、これも今までの知識の応用で乗り切れる。この表を見て気がつくか？これはチートイツの点数と似ている。っていうか同じなんや。
ピンフロン、ピンフツモ、チートイツの点数が分かれば、30符、40符、50符が分かるんやな。どうや、すぐにでも麻雀打てるやないか。

ククク…、
ここまでは想像の範疇…！

60符・80符を覚えるコツ

- 60符＝30符の1ハン増し
- 80符＝40符の1ハン増し
- たとえば、60符1ハンの手＝30符2ハンの手だから、子なら2000点。
- 他にも、70符＝30符＋40符という裏技もある。

この手は何点?（子） カン  ツモ ドラ 

→基本符20符＋□アンカンで32符＋ペンチャンで2符＋ツモで2符＝56符、切り上げて60符。□・ツモで、子の60符2ハンは、親から2000点、子から1000点ずつ。

ごくたまーに、暗カンして、60符や80符ができることもある。そういうときも心配あらへん。60符＝30符×2だし、80符＝40符×2だ。1ハン＝2だから、60符のときは30符を1ハン増しにして考えればええことになる。簡単やろ？

ということは、100符なら50符にして1ハン増しにすればいいってことだな。符の10の桁が偶数のときはその法則が使えるな。

- 子のあがり点＝符×32×ハン数
- 親のあがり点＝符×48×ハン数
- たとえば、子の30符なら、32をかけて960点。10の位は切り上げで1000点。これが30符の1ハンの点数だ。
- 子の30符2ハンなら、960×2で1920点。切り上げて2000点だ。

君たちには難しいかもしれないが、いちおう最後に点数計算がなぜこうなっているか教えておこう。「子のあがり点＝符×32×ハン数」という公式がある。親は子の1.5倍だから「親のあがり点＝符×48×ハン数」だ。
といっても実戦でこんなもん計算してられないから、九九と一緒で丸暗記しないと使えない。
いったん理解したあとは、表を暗記してしまうことだ。

点数計算の本来の仕組み

練習問題

この手は
何点?（子）

ツモ ドラ

→基本符20符＋カンチャンで2符＋ツモで2符＝24符、切り上げて30符。タンヤオ・ツモ・ドラ1で、子の30符3ハンは、親から2000点、子から1000点ずつ。

この手は
何点?（親）

ツモ ドラ

→ピンフ・三色・ツモ・ドラ1で5ハン。ピンフツモの手だが、符を考える必要もなくマンガン。子が4000点ずつ。

この手は
何点?（親）

ロン ドラ

→ピンフロンの手。ピンフ・イーペーコー・ドラ1で3ハン。親の30符3ハンは5800点。

ってことは、子の30符3ハンなら、さらに倍で3840点。切り上げで3900点か。そうか。こんな仕組みで中途半端な数字になってやがったんだな。

学年末テスト

今回のテストはやや簡単にしてあります。それでも、多くの人がつまずく点数計算ですから、がんばってください。

【問1】 子のマンガンは
（10点） 何点ですか？

【問2】 親のマンガンは
（10点） 何点ですか？

【問3】 ハネマンは子と親で
（10点） それぞれ何点ですか？

【問4】 子が役満をツモったら、子と親から
（10点） それぞれ何点もらいますか？

【問5】 この手で子のあがりは何点ですか？
（10点）

ポン　ロン

二萬 三萬 六萬 七萬 八萬　　中 中 中　一萬

【問 6】 この手で子のあがりは何点ですか？
（10点）

ロン

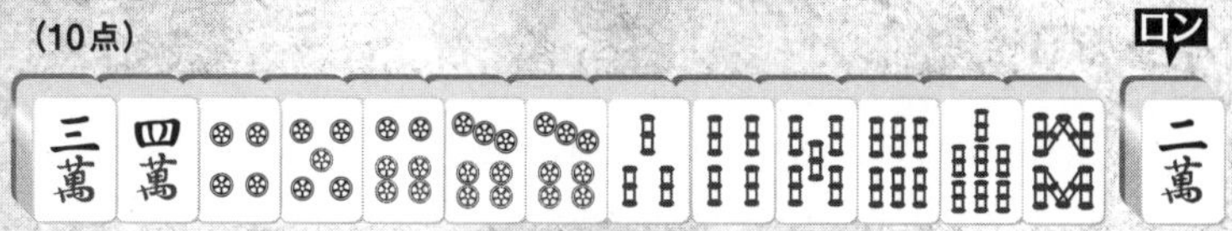

【問 7】 この手で子のあがりは何点ですか？
（10点）

リーチ
ロン
ドラ

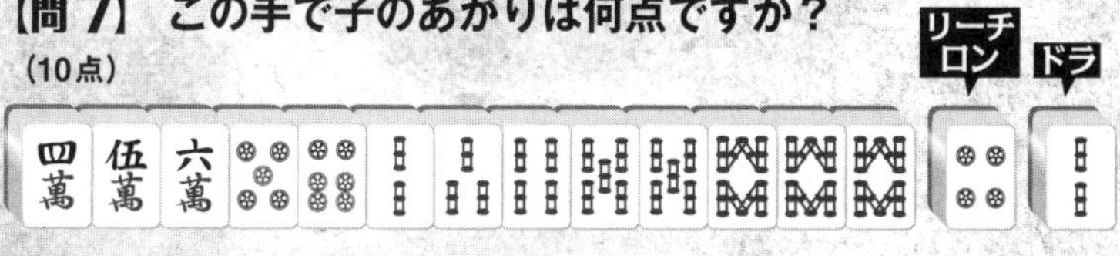

【問 8】 この手で子のあがりは何点ですか？
（10点）

ロン
ドラ

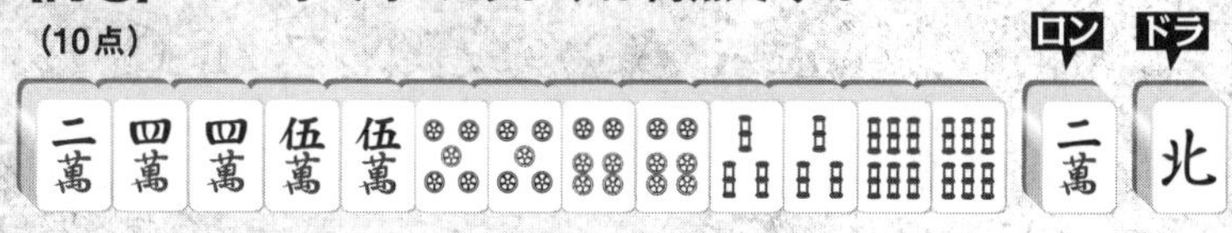

**【問 9】 この手で子のツモあがりは、子と親から
それぞれ何点もらいますか？**
（10点）

ツモ
ドラ

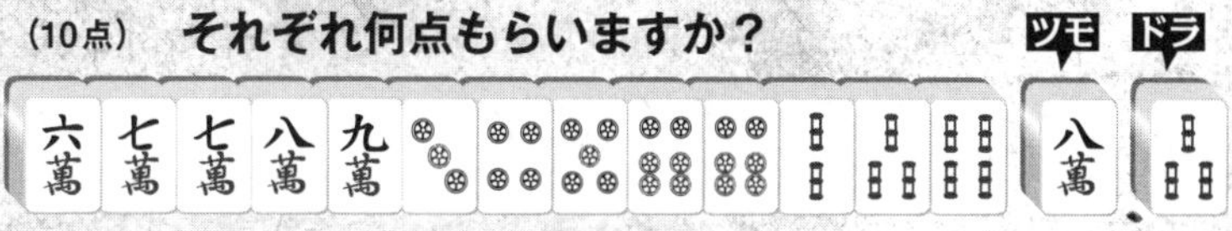

**【問 10】 この手で親のツモあがりは、
子からそれぞれ何点もらいますか？**
（10点）

ポン
ポン
ツモ
ドラ

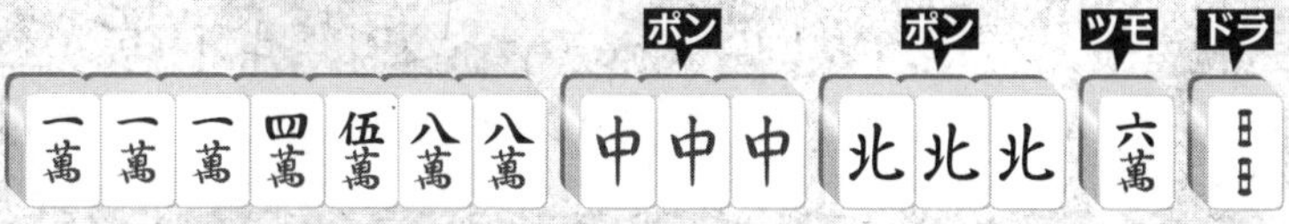

学年末テスト解答

【問1】 8000点

1万2000点と答えてたら5点。4000点の倍数になっていたら3点。他は0点。

【問2】 1万2000点

8000点と答えてたら5点。4000点の倍数になっていたら3点。他は0点。

【問3】 子1万2000点、親1万8000点

一方だけ合ってたら5点。一方でも1万点台だったら3点。

【問4】 子から8000点、親から1万6000点

一方だけ合っていたら5点。一方だけ8000点の倍数になっていたら3点。

【問5】 1000点

一番基本的な点数なので、これ以外の答えは0点。

【問6】 2000点

役はタンヤオ・ピンフ。2000点台だったら5点。他は0点。

【問7】 5200点

役はリーチ・タンヤオ・ドラ1。3900点あるいは7700点と答えていたら5点。5000点台だったら5点。他は0点。

【問8】 3200点

役はタンヤオ・チートイツ。1600の倍数になっていたら5点。3000点台だったら3点。他は0点。

【問9】 子から700点、親から1300点

役はピンフ・ツモ・ドラ1。一方だけ合っていたら5点。400点、700点、あるいは500点、1000点、あるいは1000点、2000点と答えていたら5点。他は0点。

【問10】 2600点(オール)

役はホンイツ・中。40符。2000点(オール)か3200点(オール)と答えていたら5点。他は0点。

さて何点とれましたか？　みんなが苦戦する点数計算ですから、60点以上取れていたら合格です。50点以下だった人は、3学期を復習して、30符と40符だけでも覚えてください。それだけでも実戦で9割以上はカバーできます。

アカギに学ぶ名シーン 3

▶ドラは1枚あるだけで1ハンつく牌。使えば自分の手が高くなるし、振ってしまったら相手の手が高くなるから危険だ。しかし赤木はそんなのおかまいなし。当たらないものは当たらない。まったく危険など感じないと、平気で切り捨てる。

▶赤木の場合はただドラを使うのではなく、ほとんど無理！という状況から奇跡的に手を高くして大逆転を演じる。市川と戦った時も、最後は大ミンカンで（相手のイカサマを利用して）カンドラをのせさせ、見事あがり切った。

アカギ 入門の闘牌

補習 麻雀のきまりごと

講師

鷲巣

鈴木

旧帝大を卒業後、警察官僚となり、卓越した頭脳と野心でめきめきと頭角を現す。現在でいうところの警視長クラスまで昇りつめたが、1942年、ミッドウェー海戦の敗北を期に、日本が戦争で敗れることを予見し退職。当時は誰も思いつかなかった経営コンサルタント企業「共生」を設立した。戦犯としての責任を逃れた上で、官僚時代のコネクションや裏情報を生かし、脈々と富と権力を蓄えていったのだ。最終的には日本の〝裏の王〟とまで呼ばれる存在となったが、老境に入り、狂う。王となってもなぜか満たされない思いを満たすため、生き血を賭ける〝鷲巣麻雀〟を夜な夜な行うようになった。4牌のうち3牌が透明なガラス牌で行う特殊な麻雀で、若者の命を次々と奪ってゆく。昭和40年、その鷲巣麻雀でアカギと対決した。勝負の模様は「アカギ」全36巻にて！

CHARACTER FILE

◀見よ、この顔！「相手を殺せるかも」と思った時にこのように嬉しそうな顔ができるなんて、鷲巣様はなんとピュアなのだろう!?

▶日本がここまで成長したのはわしのおかげ。その貢献を考えたら、若者の5人や6人、殺そうと問題ない！というのが鷲巣の理論。ちなみに若者には「クズ」とルビがふってある…。

他を圧する絶対的存在。この国の秘所に巣喰う闇の王!!

▲「アカギから直撃!」と思ったら安岡刑事が頭ハネ。思うようにいかない時は、ブチ切れて牌を投げつけることもある、ちょっとワガママな鷲巣様なのだ。

▲一度は敗北したと思ったが、赤木が延長戦を持ちかけてきた。条件はアカギの血液の破棄と、以後も血液は戻さないという、鷲巣に圧倒的有利なもの。にもかかわらず鷲巣は「さらに今 300cc の血液を抜け」と、さらなる「サービス」を要求。恥も外聞もない交渉ができてこそ一流のビジネスマンになれるのかも!?

◀そんなハチャメチャな鷲巣様だが、実は意外と人望は厚い。弱気になっていたところを、「鷲巣様を信じます」と励まし、最期までついてきてくれる部下もたくさんいる。オヒキとして卓につく白服・鈴木もそんな一人。

- 自分が捨てている牌ではあがれない。
- それをフリテンという。
- 待ち牌の 1 つでも捨てていたら、他の待ち牌でもあがれない。
- 自分でツモったらあがれる。
- 待ちを変えればあがれる。

麻雀用語メモ

フリテン▼
「振っているテンパイ」の略

ツモ▼
自分の番になったら山から牌を持ってくること

というわけで、諸君、最後の仕上げに入る。こまかいルールだ。
まず、フリテン。自分があがり牌を切っていたら、ロンあがりできない。そういう決まりだ。
これはなぜかというと、麻雀は正々堂々の遊戯だからだ。卑怯なあがりはできないようになっている。そうやって勝ってこそ王。真の王になれるのだ。

フリテン1

手牌

捨牌

一萬四萬待ちのとき、一萬を捨てていたら、四萬が出てもあがれない

手牌

捨牌

待ちの1つである□を捨てているため、□が出てもあがれない

正々堂々とか、卑怯はダメとか、麻雀ってそーいうゲームだったのか。なんか、これまでの授業と違うなあ。

- リーチしたあとに、あがり牌を見逃してしまうと、次に出たときにもあがれない。
- リーチすると、高めと安めの選択はできなくなる（リーチしてなかったらOK）。
- あがり牌を見逃しても、ツモってくればあがれる。
- 戦略的に安めを見逃すこともある。

こんな手牌でリーチして（待ち）、が出たのを見逃してしまうと、そのあとでやが出てもあがれない。であがると安いので、あえて見逃してやのツモを狙う手もある。

じつはフリテンにもいろいろあって、3種類ある。これは2つ目、リーチ後の見逃しだ。なぜ、駄目なのか説明するまでもないな。うっかり見逃してしまう凡庸な者を救う必要はない。そして、安めが出たからあがりたくないなんて、そんなわがままは許されん！
だが心配はいらん。わしのように超運を持っている者ならば、かならず高めが出る。そういうものだ！

補習 麻雀のきまりごと
フリテン2

四暗刻でオープンリーチという奇策に出たアカギ。浦部は、万一のツモを恐れて安めを差し込んでくるのだが、アカギは「ケチな点棒拾う気なし…！」と見逃して、あえてフリテンになる道を選ぶのだった。

麻雀用語メモ

高め▼
待ちが複数あるとき、役ができたりして高くなるほう⇔安め

差し込み▼
わざと振り込むこと

念を押されるまでもない…。ここまでは想像の範疇…！

- あがり牌を見逃してしまったら、1巡して自分のツモをすぎてからでないと、再度あがり牌が出てもあがれない。
- 故意でも偶然でも、役があってもなくても、事情は同じ。
- フリテンには、①自分で捨てているフリテン、②リーチ後に見逃しのフリテン、③同巡内のフリテン、の3種類がある。

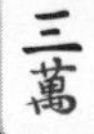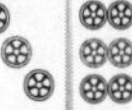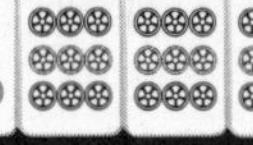

こんな手牌のとき、下家の人が四萬を捨てても、役がないからあがれない。すぐに対面の人が一萬を捨てたら、今度はチャンタ三色になって役があるけど、同巡フリテンになってあがれない。自分のツモを経過すれば一萬であがれるようになる。

最後にフリテンの3つ目、同巡内の選択の禁止だ。ここまでこまかく決まっていることに不満を持つ者もいるかもしれない。だが、鷲巣様の磐石の人生は細心の注意を払って築き上げられたように、麻雀のルールもまた注意深く決められている。そこまでしてフリテンを禁止する。そんな保険が必要なのです。

補習 麻雀のきまりごと
フリテン3

字一色であがっているのに、「ロン」せずに「ポン」して、あえてフリテンの中待ちにする鷲巣。その狙いは、フリテンの中をツモってアカギの血液を抜くことだった。

うう、なんか法律の話みたいで、すごすぎるんだけど……。

麻雀用語メモ

同巡▼
つぎの自分のツモがくるまでの間

・間違ってあがってしまったときは、チョンボといって、マンガン分の点数を払う。

・続行不可能なほど山を崩してしまったり、全自動卓のボタンを押してしまったときも、チョンボになる。

・チョンボしてしまう理由はいろいろ。①役がないのにロン、②あがり牌を間違えた、③テンパイしていないのにロン、④フリテンなのにロン、⑤リーチ後に見逃してたことに気づかずロン、⑥同巡内にあがり牌が出てたことに気づかずロン、⑦ノーテンリーチで流局、などなど。

諸君らには関係ないと思うが、凡庸なやからも麻雀することはある。そうすると、とんでもない愚劣なミスをする者もいるわけだ。
本来なら、そんなクズは血を抜いてやればいい。だが、麻雀の中で起きたことなので、点棒で許してやろう。そんな慈悲のルールなのだ！

チョンボ

テンパイしているのに、あえてノーテンリーチだったとして、チョンボ料を払うアカギ。その意図は後ろで見ている者にもまったくわからなかった。

麻雀用語メモ

ノーテンリーチ▼
テンパイしてないのにリーチをかけてしまうこと

マンガン▼
子なら8000点、親なら1万2000点

安いもんさ、8000点なら安い買い物。
オレはこの8000点で「後の3巡」を買う…!

- 待ちの基本形は１章に出てきたが、そこから発展した形がいろいろある。
- タンキ待ちの発展形として、複数の頭待ちがあって、ノベタンと呼ばれる。

伍萬がくれば伍萬が頭になり、八萬がくれば八萬が頭になる。タンキ待ちなのに待ちが２つ。

これも伍萬八萬待ち。上とほぼ同じ。

これだと2筒5筒8筒待ちで、タンキ待ちなのに待ちが３つある。

これも2筒5筒8筒待ち。上とほぼ同じ。

複雑な待ちというのは、ようするにいい待ちだ。あがり牌がいっぱいあるから、あがりやすい。凡庸な者たちが好きな「安心」が買いやすい待ちだな。だから、複雑さを嫌ってはいかん。喜ぶようでなければな。
だが、わしには関係ない。あがり牌は１牌あれば十分じゃからの!

複雑な待ち1

せっかくの3メン待ちを捨て、絶無の待ちにしてリーチをかけるアカギ。その意図は後ろで見ている石川にはわからなかった。

麻雀用語メモ

待ち▼
あがりになる最後の１枚を待つ部分のこと。あるいは待っている牌

ノベタン▼
「ノベ」は金ののべ棒の「のべ」、「タン」はタンキ待ちの「タン」

運も運命（さだめ）も信じてなんかいねぇ。
信じるのは卓越した自分の能力だけ。

・タンキ待ちは多メン待ちに発展させやすい。

・タンキ待ちとリャンメン待ちの合体形や、タンキ待ちとカンチャンの合体形もある。

・リャンメンとシャンポンの合体形もある。

🀝🀞🀞🀞は、🀝🀞＋🀞🀞だと🀜🀟待ち、🀝＋🀞🀞🀞だと🀝待ち。合わせて🀜🀝🀟待ち。

🀇🀇🀇🀉は、🀇🀇＋🀇🀉だと🀈待ち、🀇🀇🀇＋🀉だと🀉待ち。合わせて🀈🀉待ち。

🀑🀒🀓🀓🀕🀕🀕は、🀑🀒🀓🀓＋🀕🀕🀕で🀐🀓待ち、🀑🀒🀓＋🀓🀕＋🀕🀕で🀔待ち。合わせて🀐🀓🀔待ち。

🀉🀊🀋🀋🀋🀚🀚は、🀉🀊＋🀋🀋🀋🀚🀚だと🀈🀋待ち、🀉🀊🀋＋🀋🀋🀚🀚だと🀋🀚待ち。合わせて🀈🀋🀚待ち。

複雑な待ち2

アカギは絶好の5メン待ちでリーチをかけてきた。安岡の差し込みという保険なしでリーチするのは、どんなにいい待ちでも危険だというのに。

麻雀用語メモ

多メン待ち▼
3種類以上の待ち

こういう多面待ちはすぐできてしまう。わしを押し上げようとする「何か」…、魔力のようなものが作らせてしまう。多面待ちを…!
まあ凡庸な者たちにもわかるように言うなら、アンコをうまく活用すると多面待ちになりやすい。そのことを覚えておくとよい。

鷲巣先生、オレも行きます！　オレも連れてってください、お願いします！

- 鳴かずにテンパイしたときに、リーチをかけると、リーチという役になる。
- なので、役がないときは、リーチをめざして手を進める。
- リーチをかけるときは、①「リーチ」と発声して、②切る牌を横向きに捨牌に置き、③リーチ料として千点棒を出して卓の中央付近に置く。
- リーチをかけたら、もう手を変えられない。
- リーチをかけたら、一発や裏ドラのチャンスが得られる。

麻雀用語メモ

鳴く▼
ポン・チー・カンなど、他人が捨てた牌からほしいものを持ってくること

リーチ▼
麻雀で一番基本的な役

「鷲巣麻雀」には、リーチ後即差し込みという、強力無比なコンビ打ちがある。どんなヘボ手でも、リーチ一発の2ハンに裏ドラが絡めば、あっさりマンガンになる。リーチとはそういうものなのだ。

リーチの特徴

教えてやる…!
どうやら察しの悪い低能のようだから
教えてやる…!
この鷲巣麻雀の最も効果的打ち回し…
カッ
最強の武器をっ……!
リーチ…!
うっ…!
きたっ…!

鷲巣麻雀の最強の武器である「リーチ後の即差し込み」を実行してみせる鷲巣。かならず一発がつくため、非常に強力だ。

基本的に鷲巣の言ってることは正論。ただ…、ことはそれほど単純じゃないんでね、じいさん。

- リーチしてから１巡以内にあがれたら、一発という役がつく。
- その間に鳴かれてしまうと一発は消える。
- リーチして１巡後のツモであがると、できている役以外に「リーチ」「一発」「ツモ」と３つの役がつき、手がかなり高くなる。
- ドラ表示牌の下にある牌が裏ドラ表示牌。あがったら見ることができて、裏ドラがあったら、その枚数ぶん手が高くなる。
- カンが入ってドラが増えているときは、同じように裏ドラも増えていく。
- カンがいくつも入っている局は、何枚もある裏ドラを狙って、リーチするのが得。

一発と裏ドラというのは、麻雀を司る魔物の意志…!
押してくる。わしの背に、いわく形容しがたい何か、向こう側の世界の魔物のようなものが、覆いかぶさってくるんじゃ。重い重い…!　そうして一発であがれてしまい、裏ドラが乗る。強運が苦しいっ!　それが一発と裏ドラだ。

補習 麻雀のきまりごと

一発と裏ドラ

リーチ・タンヤオ・ツモだけの手なのに、
鷲巣の強運は裏ドラを 3 枚乗せることになる。

麻雀用語メモ

一発▼
出現率が 10%ある、まずまず強力な役

裏ドラ▼
約 30%の確率で乗るので、ボーナスチャンスとしてはかなり有力

金という前提…。着ぐるみをはがせば、
醜悪なねずみが一匹いるばかり…。

- リーチしてるときにアンコの牌を持ってきたら、暗カンできるときとできないときがある。
- 暗カンできるのは、①待ちが変わらない、②メンツが変わらない、③役が消えない、④待ちの形が消えない、の条件を満たすとき。

ここに伍萬を持ってきたら、カンできる。

ここに伍萬を持ってきても、カンできない。→①四萬待ちが消えて、待ちが変わる。

リーチ後の暗カンとは鷲巣様のような存在なのです。決して粗略に扱ってはならない。磐石の上にも磐石を期して、毛一本のリスクも避けるように扱うもの。それがリーチ後の暗カンなのです。

補習 麻雀のきまりごと
リーチ後の暗カン

ここに伍萬を持ってきても、カンできない。→②二萬三萬四萬が三萬四萬伍萬に変わってしまう。

一萬 一萬 一萬 二萬 四萬 伍萬 六萬 七萬 八萬 八萬 九萬 九萬 九萬

ここに九萬を持ってきても、カンできない。→③九蓮宝燈という役が消えてしまう。

三萬 三萬 三萬 四萬 四萬 伍萬 伍萬 伍萬

ここに伍萬を持ってきても、カンできない。→④形式上、カン四萬待ちが消えてしまう。

麻雀用語メモ

暗カン▼
もともと３枚持ってた牌の４枚目を引いてするカン

アカギ

仮に、この国、いやそんなスケールでなく、ユーラシアからヨーロッパ、北米・南米それこそこの世界中のすべての国々を支配するようなそんな怪物、権力者が現れたとしても、ねじ曲げられねえんだっ！

ざわ…

- A君が捨てたに、B君とC君が同時にロン。
- ダブロンありなら、二人同時のあがり。A君は二人ぶん支払う。
- ダブロンなしなら、A君から見てツモ番が近いほうのあがり。これを「頭ハネ」という。
- ダブロンありとダブロンなしは、どちらも広く行われているので、最初に決めるか、確認しよう。

麻雀用語メモ

頭ハネ▼
二人が同時にあがりになったとき、上家の人が頭をはねてあがること

ダブロンなしで頭ハネにするのは古いルールで、新しいルールではダブロンありにすることが多い。そんな傾向はある。どちらもよくある。どちらが正しいとは言えないのが現状だ。だから最初に確認しておくべきだ。
事前の確認や取り決めはとても大事なのだ! どんなにささいなことでもおろそかにしない。それが真の強者であり、王というものなのだ。

二人あがり

な…なにいっ……!?
ロンッ…!

中ドラ1頭ハネです…!

ドラ 12 枚の鬼手でテンパイしている鷲巣に、アカギが当たり牌を切り出してきた。「ついに勝利した!」と鷲巣が感動に打ち震えていると、じつは安岡の頭ハネだった。鷲巣の手牌は無に帰したのだ。

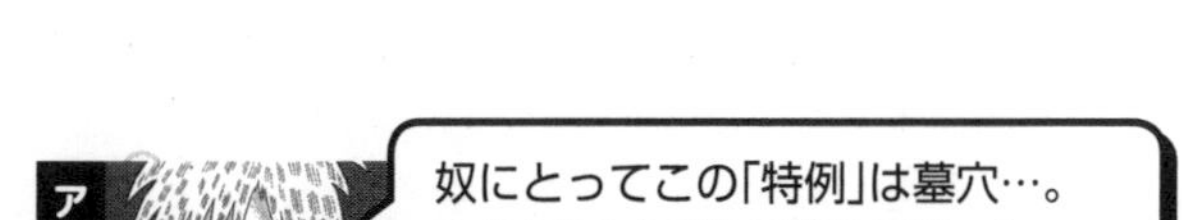

奴にとってこの「特例」は墓穴…。
自ら「勝ち」の芽を摘む暴挙…!

- 供託とは、場に出されている点数で、あがった人がもらえる。
- 供託には、①リーチ棒、②空ポン・空チーの罰符、③親が連荘（レンチャン）してるときの積み場、の 3 種類ある。
- 空ポン・空チーとは、(A) 勘違いして「ポン」や「チー」といってしまった、(B) 実際にポンやチーできるが取り消したくなった、のどちらか。そのときは、罰符を場に千点出して供託になる。
- 親が連荘（レンチャン）してるとき、出されている百点棒は単なる目印であって親のものだが、その本数× 300 点が、あがりの点数にプラスされる。
- 複数の人がリーチして流局したつぎの局など、供託が何千点か出されている状況はわりとある。そういうときは、つぎにあがった人が全部もらえるので、早あがりをめざすのが得。

供託というのは、隠し預金…いや、ちがった、懸賞金のようなものだ。
供託をゲットできると確かにお得じゃが、しょせん2千点や3千点の話。その程度がプラスされるだけ。そんなちっぽけな得に右往左往しているようで、どうして王の麻雀を打てようか。わしには無関係な存在にすぎん。…じゃが、もらうがの。

補習 麻雀のきまりごと

供託

黒服と市川が連続してリーチ。供託が2千点ある。そんなときは、ピンチでもあり、チャンスでもある状況だ。

麻雀用語メモ

罰符▼
罰則の重さは、チョンボ（8000点罰符）＞あがり放棄＞千点罰符、の順番

連荘（レンチャン）▼
親があがって、つぎの局も親を続けること

気にするなといわれても、黙ってても2千点とか3千点がプラスしてもらえるとなったら、得だよね。懸賞金があるときは、なんでもいいから安あがりしたいな。

・ハイテイ牌（最後のツモ牌）は、カンできない。

・ハイテイ牌でツモあがりしたら、ハイテイツモの役がつく。

・ハイテイ牌をツモった人の捨牌（最後の打牌）でロンすると、ホーテイロンの役がつく。

・最後の打牌（ホーテイ牌）は、ポンチーカンできない。

麻雀用語メモ

ハイテイ▼
一番最後のツモ牌のこと

ホーテイ▼
一番最後の打牌のこと

ハイテイ牌とは特別な存在だ。ツモったら役になるし、振り込んでも役になる。カンできないし、鳴くこともできない。そんな特別な存在なのだ。なので決してハイテイ牌を粗略に扱ってはならん。

ハイテイ牌の決まり

河底(ほうてい)ドラ4

マンガン……！

この一打さえ振り込まなければいい浦部。なのに、アカギの言う魔法のかけてある裸タンキに、吸い込まれるように振り込んでしまうのだった。

ハイテイ牌って最後までいかないとツモることはできないわけで、さっさとあがっちゃうほうがえらいと思うんだけどなあ。

- 自分のあがりはあきらめて、できるだけ安全そうな牌を切るのをオリという。
- 自分の手がいまいちなときは、リーチをかけられたらオリたほうが得。
- リーチしてる人の切った牌（現物という）を切っていれば安全。
- せっかくそろえた牌を切るので、オリは苦痛だが、オリの適切さに実力は表れる。
- 伍萬六萬七萬から六萬を切るなど、完成メンツから 1 枚切ることを「中抜き」という。

完全な…、いや完全以上の打ち回しをしたとしても、まだ届かぬ。最善を尽くしてなお死ぬ。死ぬときはどう抗っても死するが麻雀…!

補習 麻雀のきまりごと

オリ

アカギのラフプレイに心を折られてしまい、オリ一辺倒になってしまった矢木。こうなってしまったら勝ち目はない。攻めとオリを場面によって使い分けていくのが通常の麻雀だ。

麻雀用語メモ

現物▼
その特定の人が切っている牌。Aさんの現物がBさんの現物とは限らない

興味がない…！　オレはオレの生死に…!!

- 三萬四萬とあるときの二萬伍萬など、リャンメン待ちで当たりになる2つをスジという。
- スジは全部で 18 本ある。
- スジを気にしながら打つのが防御の基本。
- リーチされたとき、その人の捨牌のスジを切ればリャンメン待ちには当たらない。だが、その他の待ちに当たることはあるので万能ではない。
- スジの使いこなしに実力は表れる。

麻雀用語メモ

防御▼
振り込まないようにすること

スジというのは、牌の組み合わせのメカニズム。3枚1組でシュンツを作る以上、リャンメン待ちならば必ずスジの待ちになります。でもリャンメン待ち以外だとその限りではない。スジは基本ではあるが、万能ではないのです。ですから、ここは自重を…!

意外に臆病だな、鷲巣巌…！

スジ

18本のスジ

一萬 四萬 イースー

二萬 伍萬 リャンウー

三萬 六萬 サブロー

四萬 七萬 スーチー

伍萬 八萬 ウーパー

六萬 九萬 ローキュー

・役満が確定する牌を鳴かせてしまったら、責任払い（パオという）になる。

・責任払いは、

①大三元の３つ目をポンさせた、

②四喜和の４つ目をポンさせた、

③四槓子の４つ目をカンさせた、の3種類。

→②③は超レアケースで実質的には①だけ。

・責任払いが発生したら、ツモあがりのときは全額支払い、ロンあがりのときは振り込んだ人と半分ずつ支払う。

・大明カン（アンコで持ってる牌の４枚目が出たときにカン）させたとき、リンシャンカイホウであがられてしまったら、カンさせた人の責任払い。

→大明カンについては、最近は責任払いにせず、ツモあがりにするルールも増えている。

役満とは、手役の王です。すなわち、鷲巣様のように、超運、驚運を持った者でないと、本来ならあがることはできません。それを楽にあがらせてしまう打牌をしたら、それは責任を問われてしかるべき。当然その報いは受けてもらうことになるわけです。

責任払い（パオ）

A君が白と發をポンしてるとき、B君が中を切ってポンさせたら、大三元の役満が確定。

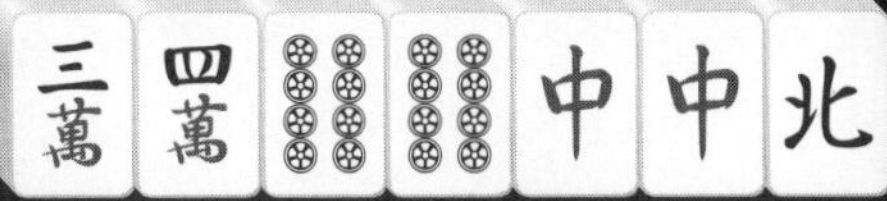

ポン  ポン 發發發 ポン 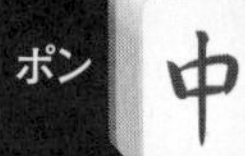

そのあと、A君が大三元をツモあがりしたら全額B君の支払い、A君がC君からロンあがりしたら、B君とC君が半分ずつ支払う。他の人があがったらB君は助かる。

麻雀用語メモ

責任払い▼
昔は、チンイツで4つ目の鳴きをさせた場合は責任払いになるなど、いろいろあったが、今では大三元の3種類目しか実質的に残っていない。

当然だな。そんな打牌に巻き込まれて、
オレは死にたくないっ…!

進級テスト

ごちゃごちゃしたルールの章なので、今回のテストは難しいと思います。がんばってください。

【問1】（10点）

（　　）を埋めてください。

仲井さんは、フリテンにもかかわらずロンしてしまいました。これは(　)といって、子は(　)点を払わなければなりません。

【問2】（10点）

待ちでテンパイしたのに、自分の捨牌にがあってフリテンになっていたとき、アガれる方法を全部選んでください。

⑴1巡以上たってからあがる　⑵他の待ちに変えてあがる　⑶ツモってあがる　⑷リーチをかけてあがる

【問3】（10点）

こんな手のとき、六萬であがるとフリテンになりますか？

七萬 八萬 九萬 九萬（カン）

【問4】（10点）

フリテンになるのはどれですか？全部答えてください。

⑴あがり牌が全部捨てられている　⑵テンパイしてないのにリーチをかけてしまった　⑶あがり牌が捨てられたのに気づかず、すぐに捨てられた別のあがり牌にロンといってしまった　⑷手牌が12枚しかない

【問5】（10点）

ここにをツモってきて、「ツモ」といって手をあけたらチョンボになりますか？

東 東 東 發 發 發

【問 6】 何待ちですか。
（10点） 待ち牌を全部答えてください。

【問 7】 何待ちですか。
（10点） 待ち牌を全部答えてください。

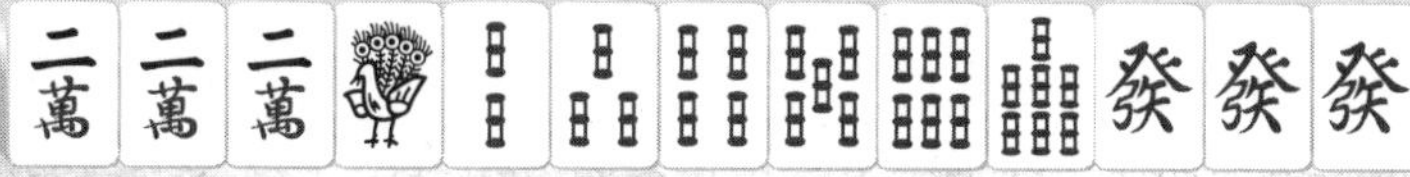

【問 8】 何待ちですか。
（10点） 待ち牌を全部答えてください。

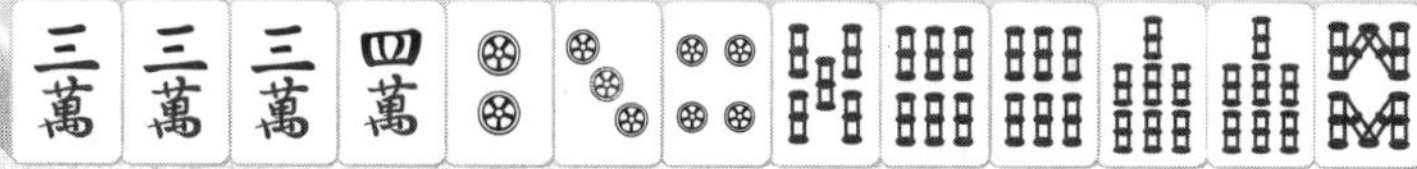

【問 9】 何待ちですか。
（10点） 待ち牌を全部答えてください。

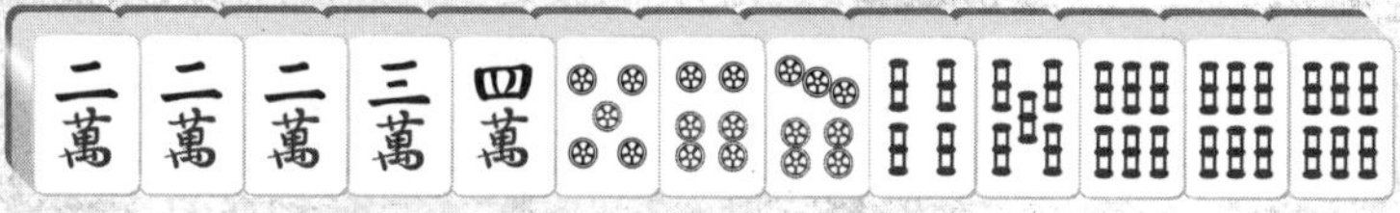

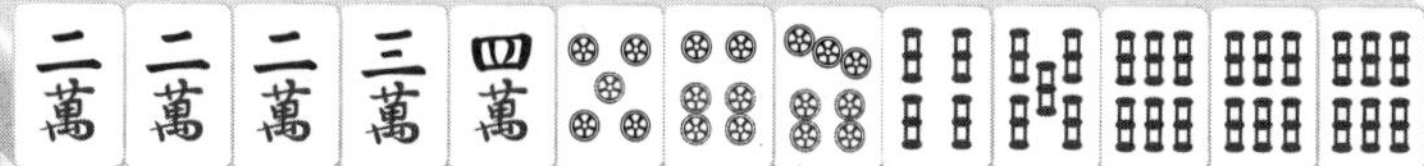

【問 10】 何待ちですか。
（10点） 待ち牌を全部答えてください。

進級テスト解答

【問1】 チョンボ　8000

どちらか一方ができていたら5点。

【問2】 (2)他の待ちに変えてあがる　(3)ツモってあがる

どちらか一方だけ選んだときは5点。ただし(1)か(4)も選んでいたら-5点。

【問3】 ならない

自分の待ち牌をカンしていても、フリテンではない。違っていたら0点。

【問4】 (3)あがり牌が捨てられたのに気がつかず、すぐ捨てられた別のあがり牌にロンといってしまった

(2)は流局したときにチョンボになりますが、フリテンとは関係ありません。(4)は少牌といって、あがり放棄になりますが、フリテンとは関係ありません。間違ったものを1つ余計に選んでいたら-5点。

【問5】 なる

間違って「ロン」といってしまうことを誤ロンといい、手をあけなければあがり放棄とするルールが多いが、手をあけてしまったらチョンボになる。

【問6】

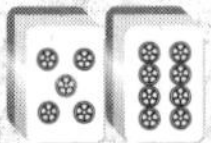

一方だけは3点。
他の牌も答えていたら1つにつき－3点。

【問7】

どれか1つ、あるいは2つだけ答えていたら5点。
他の牌も答えていたら1つにつき－3点。

【問8】 二萬 四萬 伍萬

どれか1つ、あるいは2つだけ答えていたら5点。
他の牌も答えていたら1つにつき－3点。

【問9】 二萬 伍萬

1つ欠けるごとに－3点。
他の牌も答えていたら1つにつき－3点。

【問10】 一萬 二萬 四萬 伍萬

3つ答えられたら8点、2つ答えられたら5点、1つ答えられたら2点。他の牌も答えていたら1つにつき－3点。

さて何点とれましたか？　こまかいルールの問題とはいえ、今回のテストは進級がかかっていることもあって、合格点は高めの70点とします。70点未満しか取れなかった人は、もう一度鷲巣様の補習を受けてください。

中1からの麻雀用語集

専門用語が多いのが麻雀の特徴です。まとめておきましたので、ここで復習して、鷲巣様のようなスーパープレイヤーをめざしてください。

あ行

赤　伍萬(赤)　⑤(赤)　5索(赤)　のこと。

あがり　4人のうち、最初に手がそろった人があがって、その局は終了する。

暗カン　もともと3枚持ってた牌の4枚目を引いてするカン。

アンコ　鳴かずに作ったコーツ。⇔ミンコ

1シャンテン　あと1枚くればテンパイになる状態。

1ハン縛り　最低1つは役がないとあがれないというルール。

一気通貫　2ハンの役。

一通　一気通貫の略。

イカサマ　ルール外のずる。

イーペーコー　1ハンの役。

一発　1ハンの役。

裏ドラ　リーチした人だけ権利がある第二のドラ。

頭　あがり形に1つ必要となるトイツ

ざわ‥

死ぬぞ貴様‥
用語を知らなくては‥!!

ざわ‥

中1からの麻雀用語集

のこと。

あがり　自分の手がそろうこと。麻雀はあがりを競うゲーム。

あとづけ　数牌を鳴き、後から字牌をポンして役をつけること。先付けも同じ意味。

オープンリーチ　2ハンの役。採用されないことも多い。

オーラス　最後の局。南4局（東風戦では東4局）。オールラストの略。

親　毎局一人が親になる。あがると子の1・5倍の点数がもらえる。

オリ　守備のために手を崩してしまうこと。

か行

風牌　東南西北のこと。

上家（かみちゃ）　自分の左側の人。

仮東（かりとん）　親決めをするときにサイコロを振る人。

カン　コーツが4枚になったときにする行為。

カンチャン　24みたいな形の穴ぽこ待ち。

九種九牌流れ　第一ツモをツモってきた時点で、19字牌が9種類あったら、その局は流すことができる。途中流局のひとつ。

供託　場に出されて宙ぶらりんになっている点数。次にあがった人のもの。

クイタン　鳴いたタンヤオ。

愚形　悪い形。

愚形リーチ　悪い形のリーチ。普通はカンチャンかペンチャンを指す。

くっつきテンパイ　孤立した牌につながればテンパイになる状態。

形式テンパイ　終盤にノーテン罰符をもらうために取る、役のないテンパイ。

形テン　形式テンパイの略。

現物　その人が切っている牌。

コーツ　同じ牌3枚のメンツ。

国士無双　役満のひとつ。

誤ロン　間違ってロンしてしまうこと。

さ行

先付け　数牌を鳴き、後から字牌をポンして役をつけること。あとづけも同じ意味。

三暗刻　2ハンの役。

三槓子　2ハンの役。

三元牌　白發中のこと。

三色同刻　2ハンの役。

三色同順　2ハンの役。

三色　三色同順の略。

三家和（サンチャホウ）　3人が同時にあがること。＝3人あがり

3人あがり　途中流局のひとつ。

3メンチャン　待ちが3つある形。

自風（じかぜ）　自分の風。親との位置関係で局ごとに変わる。

字牌　漢字1文字だけ書いてある牌。

下家（しもちゃ）　自分の右側の人。

シャボ　＝シャンポン待ち。

雀頭（じゃんとう） 頭ともいう。あがり形にかならず1つ必要となるトイツのこと。

シャンテン 1シャンテンのこと。

シャンテン数 シャンテンの数字。1から6まである。

シャンポン待ち トイツが2つあって、どちらかがくればあがりになる形。

出現率 全あがりの中で、その役が何%を占めていたかを示す数字。

純チャン 3ハンの役。

シュンツ 345みたいな連番3枚のこと。⇕コーツ

小三元 2ハンの役。

ション牌 場に1枚も出てない牌。

四暗刻（スーアンコウ） 役満のひとつ。

四槓子（スーカンツ） 役満のひとつ。

四カン流れ 複数人によって4つカンが出たら、その局は流れるという途中流局のひとつ。

四喜和（スーシーホー） 役満のひとつ。

数牌 数字が書いてある牌。マンズ、ピンズ、ソーズの3通りある。

四風連打（スーフーれんだ） 1巡目に同じ風牌が4枚切られたら、その局は流れるという途中流局のひとつ。

スジ 3つ飛びの数字。リャンメン待ちに対して当たりとなる2つ。

捨牌 捨てた牌。

責任払い 三元牌の3つ目などの重要な牌を鳴かせてしまい、その結果あがられてしまったとき、鳴かせた人が全額を支払うルール。

全自動卓 機械じかけの麻雀卓。

た行

ターツ トイツやリャンメンなど2枚のセット。メンツの卵。

大三元 役満のひとつ。

高め 待ちが複数あるとき、あがり点が高くなるほう。⇕安め

打牌 切る牌。

ダブ東 東場の親にとっての東。2ハンになる。

ダブドラ [伍萬][五筒][五索]がドラになったとき、1枚で2ハンになる赤牌のこと。

ダブ南 南場の南家にとっての南。2ハンになる。

ダブリー 1巡目にかけるリーチ。2ハンになる。

ダブル役満 役満が複合したもの。

ダブロン 二人が同時にあがること。

ダマ ダマテンのこと。

ダマテン テンパイしてるのにリーチしてないこと。

多メン待ち 3種類以上の待ち牌があるテンパイ形のこと。

タンキ待ち 手牌に頭がない状態で、頭を作るための待ち。

タンピン タンヤオピンフのこと。

タンヤオ 1ハンの役。

チー シュンツを作る鳴き。

チートイツ 2ハンの役。

地和（チーホウ） 役満のひとつ。

中1からの麻雀用語集

チップ　その局の結果だけで、一発や裏ドラか赤に現金あるいはポイントをつけること。

チャンカン　1ハンの役。

チャンタ　2ハンの役。

九蓮宝燈（チュウレンポウトウ）　役満のひとつ。

中張牌（チュンチャンパイ）　2〜8までの数字の牌。

チョンボ　ルール上で大きな間違いをしてしまうこと。

チンイツ　6ハンの役。

清老頭（チンロウトウ）　役満のひとつ。

字一色（ツーイーソー）　役満のひとつ。

ツモ　4人が順番に山から牌を持ってくる行為。そのときつく1ハン役の名前でもある。

テンパイ　あと1枚であがりになる状態。

天和　役満のひとつ。

トイツ　同じ牌2枚のこと。

トイトイ　2ハンの役。

同巡　つぎの自分のツモがくるまでの間。

同巡内フリテン　一度あがり牌を見逃してしまい、同巡のうちに「ロン」と言ってしまう。フリテンの一種。

ドラ　1枚持っていると点数が倍になるボーナス牌。

ドラ表示牌　ドラが何かを示す牌。1枚だけ引っくり返っている。

東風戦　東場だけの一周で終わらせるゲーム方式。（⇔東南戦）

な行

流しマンガン　マンガンとなる役。採用されないことも多い。

鳴き　ポンチーのこと。

鳴く　ポンチーすること。

ノーテン　テンパイしてない状態。

ノーテン罰符　流局したとき、テンパイしてない人がテンパイしている人に払う点数。

は行

牌　パイ。麻雀の道具。

ハイテイ　1ハンの役

ハイテイ牌　一番最後のツモ牌のこと。

配牌　最初に取った状態の手牌。

倍マン　8〜10ハンのあがり。子は1万6000点、親は2万4000点。

パオ　重要な牌を鳴かせてしまったときの責任払いのこと。

場風　場の風。最初の1周は東、2周目は南。

ピンフ　1ハンの役。

ハネマン　6〜7ハンのあがり。子は1万2000点、親は1万8000点。

フーロ　鳴くこと。

フリテン　自分が捨てている牌ではあがれなかったり、あがり牌の選択はできないというルール。

ベタオリ　自分の手牌は完全に崩して

オリること。

ペンチャン 12のような形の待ち。

ホーテイ 1ハンの役。

ホーテイ牌 一番最後の打牌のこと。

ホンイツ 2ハンの役

ポン コーツを作る鳴き。

混老頭 2ハンの役。

ま行

待ち あがりになる最後の1枚。あるいはそれを待つ部分のこと。

マンガン 高い手の基準になる点。子なら8000点、親なら1万2000点。

見逃し あがり牌が出たときに、あがらないこと。

明カン ポンした牌の4枚目を引いてするカン、あるいはもともと3枚持ってたところに4枚目が出たのでするカン。

ミンコ ポンして3枚そろえたセット。

メンゼン 鳴いてない状態のこと。

メンツ 3枚1組のセット。麻雀はメンツをそろえるゲーム。

メンツ手 チートイツじゃない手。

や行

役牌 3枚そろえると役になる字牌のこと。

役満 一番高いリミットの役。10個ほどある。

安め 待ちが複数あるとき、あがり点が安くなるほう。⇔高め

4人リーチ 途中流局のひとつ。

ら行

リーチ 麻雀で一番基本的な役。

リーチ棒 リーチするときに出す千点棒のこと。

理牌（リーパイ） わかりやすいように牌を並べ換えること。

リャンカン 468のようにカンチャンが2つ結合した形。

リャンペーコー 3ハンの役。

リャンメン待ち 67のように待ちがスジで2つある形。

緑一色（リューイーソー） 役満のひとつ。

流局 局が終わること。ツモを最後まで取っても、あがりが出ない状態。

リンシャンカイホウ 1ハンの役。

リンシャン牌 カンして王牌から持ってくるパイのこと。

連荘（レンチャン） 親があがって、つぎの局も親を続けること。

人和（レンホー） 倍マンなどになる役。採用されないことも多い。

ロン 他人の捨てた牌であがるときにする発声。

わ行

王牌（ワンパイ） ドラがめくられている山のこと。

2024年4月8日　初版第1刷発行

【著者】福本伸行 ©2024 NOBUYUKI FUKUMOTO
【編著者】近代麻雀編集部

【編集人】若島茂男
【テキスト・編集協力】福地誠　黒木真生
【発行】株式会社竹書房
〒102-0075　東京都千代田区三番町8-1　三番町東急ビル6F
email: info@takeshobo.co.jp
https://www.takeshobo.co.jp/

【装丁】佐藤一将
【本文デザイン】アイダックデザイン
【印刷】TOPPAN株式会社